QUARTIER D'AFFAIRES

Français professionnel et des affaires

1 A2

M. P. ROSILLO | P. MACCOTTA | M. DEMARET

CLE
INTERNATIONAL

Crédits photographiques

Direction de la production éditoriale : Béatrice Rego
Maketing : Thierry Lucas
Édition : Sylvie Hano
Conception graphique : Lucia Jaime
Couverture : Lucia Jaime
Mise en pages : AMG
Enregistrements : Quali'Sons
Vidéos : BAZ

© CLE International / SEJER, Paris 2013
ISBN : 978-2-09-038660-8

Quartier d'affaires est un cours de français professionnel destiné à un public adulte en **situation d'apprentissage** (apprenants de cours FOS, étudiants en filières professionnelles), en **contexte professionnel** ou en situation de **recherche d'emploi**. Le premier objectif de ce manuel est par conséquent l'optimisation du profil professionnel de ces apprenants qui peuvent être amenés, ou qui souhaitent, **travailler dans un environnement francophone**.

Les utilisateurs de ce manuel auront déjà acquis un niveau A1 : ils auront donc environ 80 heures d'apprentissage du français. *Quartier d'affaires* couvre les objectifs du **niveau A2** et permet d'entamer le niveau B1 avec une base solide.

Quartier d'affaires se veut avant tout une méthode **communicative**, claire et fonctionnelle. L'apprenant doit pouvoir consulter son manuel de manière aisée grâce à son **organisation structurée**, agréable à feuilleter. Le manuel est organisé autour de **10 unités** qui contiennent une page de présentation des objectifs et des outils linguistiques et grammaticaux nécessaires pour les atteindre, 3 leçons avec des contenus clairs et progressifs, une page de civilisation et une page d'entraînement aux examens (DELF Pro A2 et Certificat de français professionnel affaires A2 de la Chambre de commerce et d'industrie Paris Île-de-France). Toutes les deux unités, deux pages de bilan permettent à l'apprenant de s'entraîner à l'utilisation des nouveaux acquis linguistiques et grammaticaux. La proposition d'**une tâche** à accomplir – dix en tout – permet de mettre en pratique les acquis dans des activités **réalistes** et **réalisables**, avec des objectifs clairement énoncés, et qui encouragent les travaux en groupe. Les différentes leçons contiennent trois types d'encadrés : les points grammaire, *Les mots pour* (qui reprennent le lexique abordé dans la leçon), *Savoir dire* (qui rassemblent des expressions rencontrées dans la leçon). La grammaire est abordée de manière simple et illustrée avec des exercices d'application. Il en est de même pour le lexique, qui est repris à chaque leçon dans les encadrés, et qui est travaillé dans les exercices au cœur des leçons. La composante **interculturelle** a été particulièrement mise en valeur et apparaît également tout au long du manuel : nous avons particulièrement voulu prendre en compte la culture francophone dans le domaine de l'entreprise, en tâchant d'éviter les stéréotypes, et en proposant une vision ouverte sur les pays francophones.

Un DVD-Rom contient tous les enregistrements des documents audio ainsi que six vidéos directement en lien avec les unités.

Nous avons également introduit dans notre démarche les nouvelles technologies, dans la mesure où elles sont de plus en plus présentes dans l'environnement professionnel.

Nous avons voulu accompagner les apprenants qui souhaitent obtenir une certification professionnelle, comme le **DELF Pro A2** et le **Certificat de français professionnel affaires A2 (CFP affaires A2) de la Chambre de commerce et d'industrie Paris Île-de-France**, leur permettant de rendre leur profil professionnel plus complet et riche.

En résumé, nous espérons que les apprenants qui souhaitent **travailler** en France ou en français, qui veulent **se socialiser** avec des interlocuteurs francophones, ou qui comptent **voyager** dans un pays francophone puissent trouver dans ce manuel un outil utile et profitable.

Les auteures

Tableau des contenus

	SAVOIR-FAIRE	GRAMMAIRE	LEXIQUE	CIVILISATION
1. Je cherche un travail Pages 7-16	■ Chercher un emploi ■ Consulter les annonces ■ Écrire un CV ■ Écrire une lettre de motivation ■ Consulter les réseaux sociaux professionnels	■ Le passé composé et la formation du participe passé ■ Les indicateurs de temps (*il y a, depuis, pendant*)	■ Les études ■ Le travail	■ Les études supérieures en France et à l'étranger ■ France : un diplôme sinon rien ? ■ Au salon de l'emploi ■ Génération Y
2. Je passe un entretien Pages 17-28	■ Passer un entretien d'embauche et décrire son entreprise ■ Expliquer son parcours professionnel et parler de ses études ■ Parler de ses atouts et de ses compétences ■ Lire un contrat de travail	■ Les adjectifs qualificatifs (place et accord) ■ Les adverbes de fréquence ■ L'imparfait et la concordance des temps avec le passé composé ■ L'interrogation ■ Les réponses *oui / non / moi aussi / moi non plus*	■ Les professions ■ L'informatique	■ S'adresser à ses collègues ■ L'échange de carte de visite ■ La ponctualité ■ Partir travailler au Canada ?
3. Je déménage Pages 29-38	■ Lire une annonce immobilière ■ Discuter avec un agent immobilier ■ Visiter un appartement ■ Demander des renseignements sur une ville ■ Demander son chemin ■ Donner ses impressions	■ Les prépositions devant les noms de lieux (rappel) ■ *pouvoir / vouloir / devoir* ■ *aller à, être à, venir de* + lieu ■ La négation dans la phrase	■ Le logement ■ Les plans de ville ■ La ville et les commerces ■ Les expressions servant à décrire les sentiments	■ Vivre et travailler à Paris ■ Ville ou campagne ? Maison ou appartement ? ■ Vivre à Bruxelles ■ Des voisins ? Oui, mais pas trop présents !
4. Mon premier jour dans l'entreprise Pages 39-50	■ Décrire son lieu de travail ■ Présenter l'organigramme d'une entreprise ■ Comprendre le règlement d'une entreprise ■ Découvrir les différents types d'entreprises	■ L'impératif affirmatif et négatif ■ *il faut* + infinitif ■ Le complément du nom	■ Le lieu de travail ■ Les types d'entreprise	■ Bureau paysager ou bureau individuel ? ■ Le bonheur au travail ■ Bien installé au bureau ■ L'industrie pharmaceutique ; mixité et jeunesse

	SAVOIR-FAIRE	GRAMMAIRE	LEXIQUE	CIVILISATION
5. Je travaille Pages 51-60 	■ Décrire son poste de travail ■ Parler de ses responsabilités ■ Téléphoner et envoyer des mails ■ Prendre, annuler et reporter des rendez-vous ■ Participer à des réunions, établir un ordre du jour et faire un compte-rendu	■ Les pronoms relatifs (*qui, que, dont, où*) ■ Le futur proche et le futur simple ■ Les verbes indirects (*parler à quelqu'un, téléphoner à quelqu'un*) ■ Le présent progressif (*être en train de...*)	■ Les professions ■ La prise de rendez-vous ■ La réunion	■ Comprendre les gestes de ses collègues ■ L'e-mail, le mal des entreprises modernes ■ La réunionite
6. Ma vie dans mon entreprise Pages 61-72	■ Découvrir les valeurs de l'entreprise ■ Comparer les conditions de travail ■ Découvrir le comité d'entreprise ■ Résoudre des conflits	■ L'emploi du pronom « on » ■ Les comparaisons ■ Les pronoms compléments	■ Le travail en équipe ■ Les valeurs ■ Les conditions de travail ■ Les pots entre collègues et l'invitation	■ L'accueil des handicapés dans l'entreprise ■ La vie en entreprise ■ Des services pour les salariés ■ La pause déjeuner
7. Je participe à une formation Pages 73-82	■ Découvrir les différents types de formation ■ Lire un programme de formation ■ Comprendre des horaires ■ Participer à une formation ■ Évaluer une formation ■ Résoudre un problème de dernière minute	■ Le passé récent ■ *il faut* + subjonctif ■ Les articulateurs logiques	■ Les programmes de formation ■ Le jugement ■ L'évaluation	■ Un nouveau style de formation ■ L'apprentissage à distance ■ Un cours de langue par téléphone
8. Un an déjà ! Pages 83-94	■ Passer un entretien annuel, faire le bilan ■ Formuler des souhaits ■ Demander une augmentation ■ Être promu ■ Échanger des impressions ■ Prendre une décision	■ Les articulateurs chronologiques ■ Le conditionnel présent ■ Les verbes pronominaux	■ Les sentiments ■ Les échanges d'impressions	■ Que pensent les salariés de leur manager ? ■ Les relations hiérarchiques ■ Différences culturelles et hiérarchie ■ Le prix du meilleur manager africain

	SAVOIR-FAIRE	GRAMMAIRE	LEXIQUE	CIVILISATION
9. Mon entreprise s'agrandit Pages 95-104	■ Analyser le secteur économique ■ Commenter des données chiffrées ■ Contacter des fournisseurs ■ Négocier un prix ■ Lire une facture ■ Découvrir les différents modes de paiement	■ L'écriture des nombres ■ Les adverbes de quantité et d'intensité ■ Le pronom « en »	■ Les nombres ■ Les commentaires de données chiffrées ■ Les moyens de paiement	■ Michel et Augustin : un exemple de réussite ! ■ Un concours pour aider les jeunes à créer leur entreprise ■ Combien vous gagnez ? ■ Comment payez-vous ?
10. Les nouvelles perspectives Pages 105-116	■ Comprendre la mondialisation ■ Situer économiquement une entreprise ■ Parler de l'écologie	■ La phrase exclamative ■ Le discours indirect ■ Le plus-que-parfait	■ L'économie, les marchés ■ Le secteur du BTP (bâtiment et travaux publics) ■ les métiers du BTP ■ L'écologie	■ Apprendre le français au Brésil, c'est écologique ! ■ La presse économique francophone ■ Un journal consacré à l'économie locale ■ Jouer collectif pour les déplacements

Je cherche un travail

PRÉSENTATION DES CONTENUS

Je cherche un emploi, je consulte des annonces,
je rédige mon curriculum vitæ et ma lettre de motivation, je consulte les réseaux sociaux professionnels.

J'ai besoin des éléments grammaticaux suivants :
Le passé composé et la formation du participe passé
Les indicateurs de temps (*il y a, depuis, pendant*)

J'ai aussi besoin des outils lexicaux suivants :
Les études
Le travail

▶ Tâche, p. 117
▶ Phonétique, p. 123

Je cherche un travail

1 La recherche d'emploi

Au café, le 20 septembre.

Mattéo : Comment vas-tu Paul ? Tu as passé de bonnes vacances ?

Paul : Oui, merci Mattéo. J'ai profité de mes dernières vacances d'étudiant ! Je suis parti avec des amis en Espagne, mais maintenant les choses sérieuses commencent. Je cherche un travail. Et toi ? Ça a été tes vacances ?

Mattéo : Oui, j'ai passé quelques jours au Portugal chez mes grands-parents. Pour ta recherche d'emploi, est-ce que tu as déjà fait un CV ?

Paul : Non pas encore, mais cet après-midi j'ai un rendez-vous avec un conseiller de Pôle emploi.

Cet organisme aide les demandeurs d'emploi dans leur recherche d'emploi. Il va m'aider à rédiger un CV et une lettre de motivation et aussi me donner des conseils pour ma recherche d'emploi...

Mattéo : Tu cherches dans quel secteur ?

Paul : Je souhaite trouver un poste dans le commerce international et si possible dans le secteur de la mode, du prêt-à-porter. Chaque jour, je consulte les offres d'emploi et j'envoie des candidatures spontanées. Et toi ?

Mattéo : Il y a quinze jours, au forum des métiers, j'ai rencontré le directeur des ressources humaines d'Agro 2000. Je passe un entretien demain...

2 Un forum sur le net

BIENVENUE ! SUR LE FORUM « PREMIER JOB »

ACCUEIL	Catégories	Mon activité

Aller à la page 1 – 2 – 3

Mathieu
23 ans, Rennes
Posté le 15 oct. 21:00

Je viens de terminer mes études et je suis à la recherche d'un emploi dans le marketing. Des conseils ?

✉ Envoyer à un ami

Phil.
25 ans, Lyon
Posté le 15 oct. 21:35

Je suis inscrit sur les réseaux sociaux professionnels (Viadeo, LinkedIn) et aussi sur Facebook. Mon CV est consultable et je développe mes contacts. Et puis j'ai créé des alertes.

✉ Envoyer à un ami

Lili
24 ans, Bordeaux
Posté le 15 oct. 22:00

Moi, je participe à des ateliers Pôle emploi. J'ai refait mon CV, j'ai travaillé ma lettre de motivation. Dans 2 jours, je vais à une simulation d'entretien. Ça donne confiance !

✉ Envoyer à un ami

Vic
28 ans, Montpellier
Posté le 16 oct. 00:05

J'ai déposé mon CV sur les sites de cabinets de recrutements. Il y aussi les agences d'intérim. Certaines sont spécialisées dans des domaines spécifiques.

✉ Envoyer à un ami

Léaléa
30 ans, Bruxelles
Posté le 16 oct. 00:30

Je consulte régulièrement le site des entreprises. Il y a presque toujours une rubrique « recrutement / emploi ».

✉ Envoyer à un ami

2. Lisez le document et répondez.

a. Que proposent les ateliers Pôle emploi ?
b. Où peut-on déposer son CV ?
c. Que sont Viadeo et LinkedIn ?
d. Pourquoi est-il intéressant de consulter les sites des entreprises ?

Les mots pour

- Un job
- Le marketing
- Les réseaux sociaux
- Consulter
- Développer
- Un contact
- Une alerte
- Une simulation d'entretien
- La confiance
- Un cabinet de recrutement
- Une agence d'intérim
- Une rubrique recrutement

1. Écoutez le dialogue et répondez.

a. Qu'est-ce que les deux jeunes hommes ont fait cet été ?
b. Où est-ce que Paul va aujourd'hui ? Pourquoi ?
c. Quel secteur intéresse Paul ?
d. Que fait Mattéo demain ? Qui doit-il rencontrer ?

Les mots pour

- Une recherche d'emploi
- Le Pôle emploi
- Un conseiller
- Un CV (curriculum vitæ)
- Rédiger un CV
- Une lettre de motivation
- Un secteur
- Un poste

- Le commerce international
- La mode
- Le prêt-à-porter
- Une offre d'emploi
- Une candidature spontanée
- Passer un entretien
- Un(e) directeur / Une directrice des ressources humaines

GRAMMAIRE

Le passé composé

■ Le passé composé est utilisé pour raconter des événements passés. Il se construit avec l'auxiliaire *avoir* ou *être* au présent, suivi du participe passé du verbe conjugué.
Avec l'auxiliaire *être*, le participe passé s'accorde en genre et en nombre avec le sujet. Avec l'auxiliaire *avoir*, en général il ne s'accorde pas.

- *J'**ai profité**, tu **as passé**, nous **avons rencontré**...*
- *Elle **est partie**, elles **sont parties**...*
- *Ils **se sont levés**, elle **s'est habillée**...*

La formation du participe passé

■ Les verbes en « **er** » (1er groupe) font leur participe passé en « **-é** ».
- *travailler → travaillé ; chercher → cherché*

■ La plupart des verbes en « **ir** » font leur participe passé en « **-i** ».
- *finir → fini ; choisir → choisi*

■ La plupart des verbes en « **re** » et en « **oir** » font leur participe passé en « **-u** ».
- *perdre → perdu ; rendre → rendu ; voir → vu ; vouloir → voulu*

■ Certains verbes ont un participe passé irrégulier.
- *faire → fait ; être → été ; avoir → eu ; pouvoir → pu*

1 Complétez avec l'auxiliaire *être* ou *avoir*.

a. Tu ... fait un excellent travail.
b. Ils ... sortis de l'entretien.
c. J'... écrit une lettre de motivation.
d. Elle n' ... pas encore rentrée.

2 Retrouvez l'infinitif des verbes pour chaque participe passé.

a. mis	**d.** parti	**g.** compris
b. venu	**e.** allé	**h.** été
c. eu	**f.** écouté	**i.** pris

3 Mettez les verbes au passé composé.

a. Je (décider) : je change de travail.
b. Je (lire) les offres d'emploi et je (demander) conseil à mes amis.
c. Leurs conseils (être) bien utiles.
d. Je (réussir) à avoir trois entretiens.

Je cherche un travail

1 Je consulte les petites annonces

1. Lisez l'offre d'emploi et répondez.

a. Quel est le nom de l'entreprise ? Quel est son domaine d'activité ?
b. Quel est le poste proposé ?
c. Quelles sont l'expérience et la formation demandées ?
d. Quelles sont les qualités demandées ?
e. Pourquoi le permis B est-il exigé ?

Les mots pour

- Recruter
- Une négociation
- Un reporting
- Un salon professionnel
- Un déplacement
- Une expérience
- Un profil
- Bac + X
- Un permis
- Un salaire fixe / variable
- ASAP (*as soon as possible*)
- Une référence

Chic & Choc

entreprise de prêt-à-porter,
recrute
pour la région lyonnaise

2 commerciaux (H/F)

Fonction
- Gérer le portefeuille de clientèle.
- Développer les ventes dans la région.
- Assurer le suivi des négociations commerciales.
- Effectuer un reporting régulier des activités.
- Participer aux événements commerciaux (salons professionnels…).
- Nombreux déplacements.

Profil
- De formation commerciale Bac + 3 minimum avec une première expérience dans la vente.
- Dynamique, organisé, sens du contact.
- Permis B exigé.

Salaire fixe + variable
Début ASAP

Envoyer CV et lettre de motivation à :
chic&choc_recrut@job.com
Sous la référence OF_25824VS

---

2 Je consulte les offres d'emploi en ligne

Offres d'emploi

Accueil 〉 Actualités 〉 **Ma recherche d'emploi** 〉 Articles

🔍 Recherche

TECHNICO-COMMERCIAL(E)
dans l'industrie agro-alimentaire

POSTE
Rattaché(e) à la Direction commerciale, vous êtes en charge du développement de nos activités au travers des missions suivantes :
- vous développez la commercialisation de nos produits sur votre secteur géographique ;
- vous intervenez auprès de clients de l'industrie agro-alimentaire ;
- vous suivez sur le terrain (France et Europe) un portefeuille de clients utilisateurs de nos produits ;
- vous prospectez de nouveaux marchés ;
- vous analysez et suivez les performances de la concurrence.
Ce poste de cadre nécessite des déplacements réguliers en France et en Europe.

PROFIL
De formation technique et commerciale supérieure Bac + 2 (de type BTS), vous justifiez d'une expérience minimale de 3 ans dans l'industrie agro-alimentaire. Vous maîtrisez l'anglais commercial.
35 KE / an + primes

N° de référence **72-114-13**
Publication **14 sept 2013**
Localisation **Île de France**

Retour à la liste ▶
Enregistrer l'annonce ▶

JE POSTULE !

---

2. Lisez l'offre d'emploi et répondez.

a. Quel est le poste proposé ? dans quel secteur ?
b. Quelles sont l'expérience et la formation demandées ?
c. Quel est le salaire proposé ?
d. Est-ce qu'il est nécessaire de parler une langue étrangère ? Laquelle ?
e. Selon vous, où est-ce que cette offre d'emploi a été publiée ?

3. Rédigez l'offre d'emploi pour votre profil et votre poste.

Les mots pour

- L'industrie agro-alimentaire
- Le terrain
- Le développement
- Une mission
- Une performance
- La concurrence
- Un cadre
- Une prime
- Une direction commerciale
- Une commercialisation
- Un secteur géographique
- Un marché
- Un portefeuille de clients

3 Les « serious game »

4. Observez l'affiche et répondez.

a. Qui recrute ?
b. Pour quel poste en particulier ?
c. Comment est-ce que le recrutement est organisé ?

Les mots pour

- SNCF (Société nationale des chemins de fer français)
- Un *serious game*
- Un ingénieur
- Un métier
- Un participant
- Un défi

La SNCF recrute en 2012

10 000 postes sur l'année - 1 000 postes d'ingénieurs

« Défi ingénieur » : la SNCF lance un « serious game » pour faire découvrir les métiers d'ingénieurs SNCF et pour recruter ses futurs ingénieurs. Construire un viaduc, gérer la circulation ferroviaire sur une même ligne, réagir face à une alerte météo : voilà les défis à relever par les participants.

Savoir dire

Décrire un poste
- Vous gérez un portefeuille de clientèle…
- Vous développez les ventes…
- Vous assurez le suivi…
- Vous effectuez…
- Vous participez à…
- Vous suivez…
- Vous prospectez…
- Vous analysez…
- Vous intervenez…

Je cherche un travail

1 Le CV

1. Lisez le CV et répondez.

a. Quelle est la formation d'Antoine Roque ?
b. Dans combien d'entreprises est-ce que Antoine Roque a travaillé ? Nommez-les.
c. Quels sont les centres d'intérêt d'Antoine Roque ?
d. Quelles sont les langues étrangères parlées par Antoine Roque ?

Antoine Roque
5, rue du Marché
06000 Nice
06 66 66 66 66
antoineroque@job.fr

29 ans
Marié, un enfant
Permis B

Expériences professionnelles

Commercial chez Lactalis   juin 2009-sept. 2012
- Chargé de clientèle.
- Prospection de nouveaux clients.

Commercial junior chez Agro 2000   sept. 2007-mai 2009
- Suivi des commandes.
- Élaboration d'un fichier clients.

Commercial stagiaire groupe Bel   nov. 2006-mars 2007
- Participation à des salons professionnels.
- Suivi du fichier clients.

Stage vente groupe Danone   juin 2006-oct. 2006

Vendeur à mi-temps Surcouf   jan. 2006-avril 2006

Formation

Juin 2007 : Master « Commerce et Management » option « services » (Université Nice)
Juin 2005 : Licence professionnelle « Commerce, Marketing, Management » (Université Nice)
Juin 2004 : BTS « Action commerciale » (Nice)
Juin 2002 : Baccalauréat série S (Nice)

Connaissances linguistiques et informatiques

Maîtrise du pack Office (Word, Excel, Power Point)
Anglais courant
Allemand : bonnes notions

Activités extraprofessionnelles

– Tennis (entraîneur bénévole auprès des jeunes de l'association du quartier des Moulins, Nice)

En France, le CV est peu détaillé, mais il reste précis. Dans d'autres pays, il est très détaillé.

Vos connaissances linguistiques et informatiques figurent en bonne place.

En entretien, les recruteurs posent parfois des questions sur les centres d'intérêt.

Le saviez-vous ?

Il existe un CV européen « Europass ». Vous pouvez le remplir en ligne ou télécharger le formulaire à l'adresse suivante :
http://www.europe-education-formation.fr/europass-CV.php

---

2. Lisez le texte et reconstituez le CV de Sophie Rivière.

« Je m'appelle Sophie Rivière, j'ai 38 ans. J'ai deux enfants. Je suis française, mais j'habite à Londres depuis 10 ans. Après mon Bac en 1999, je suis partie en Angleterre comme jeune fille au pair pour améliorer mon anglais. Un jour dans un pub, j'ai rencontré Tom, mon mari. J'ai décidé de rester ici et de continuer mes études. J'ai donc étudié l'histoire ancienne, ma passion !
Après mon master, j'ai enseigné l'histoire pendant deux ans, puis mon mari a créé son entreprise de conseil en gestion immobilière. Afin de l'aider un peu, j'ai pris des cours du soir. J'ai étudié la gestion et la comptabilité. Finalement je travaille pour notre entreprise depuis 6 ans. Je gère l'aspect financier, je suis aussi chargée du suivi des dossiers et de l'accueil des clients. »

3. Rédigez votre CV.

2 La lettre de motivation

Juliette Lamarche
18, rue des Fleurs
69000 Lyon
06 63 63 63 63
jlamarche@job.com

Chic&Choc
Place Bellecour
69002 Lyon

Référence offre d'emploi : OF_25824VS

Lyon, le 25 octobre 2012

Madame, Monsieur,

Le poste de commerciale au sein de votre entreprise a retenu mon attention. J'ai toujours été intéressée par le domaine du prêt-à-porter et je porte un réel intérêt à la mode en général. Depuis 2008, je travaille chez Agro + et j'ai développé le carnet de clientèle de 10 % et augmenté le chiffre de vente de 5 %. J'ai l'habitude de participer à des événements commerciaux (salons, forums…). Ainsi, votre poste semble correspondre tout à fait à mes attentes.

Dans l'attente de votre réponse, veuillez recevoir, Madame, Monsieur, l'expression de mes salutations respectueuses.

Juliette Lamarche

PJ : CV

GRAMMAIRE

Les indicateurs de temps

■ Pour indiquer **un moment,** on utilise des adverbes de temps (*aujourd'hui, demain, hier…*), des noms (*ce matin, l'année dernière…*) ou des prépositions + nom (*en, dans, depuis…*).
• *Aujourd'hui,* j'envoie ma lettre de motivation.
• *Ce matin,* j'ai fait mon CV.
• *J'ai un entretien dans trois jours.*

■ Pour exprimer **une durée,** on utilise différentes expressions. *Il y a* indique un moment dans le passé.
• *Il y a 3 ans j'ai changé de travail.*

■ *Depuis* indique une action commencée dans le passé et qui continue aujourd'hui.
• *Je travaille chez FSI depuis 3 ans.*

■ *Pendant* indique une durée déterminée.
• *Je suis parti en Angleterre pendant un an.*

4. Lisez la lettre et répondez.

a. Retrouvez dans la lettre les parties suivantes : l'expérience professionnelle ; les salutations ; l'accroche ; la conclusion.
b. Quel poste intéresse Juliette Lamarche ?
c. Pourquoi est-ce qu'elle est intéressée par ce poste ?
d. Selon vous, que signifie « PJ : CV » à la fin de la lettre ?

5. Rédigez l'accroche et les salutations de l'offre d'emploi n° 2 (p. 10).

> #### Savoir dire
>
> **L'accroche**
> • C'est avec un grand intérêt que j'ai relevé votre annonce
> • Votre annonce, parue le … dans …, a retenu toute mon attention…
> • Votre entreprise est réputée dans le domaine / le secteur de …
>
> **Les salutations**
> • Je vous prie d'agréer, Madame, Monsieur, mes salutations respectueuses.
> • Dans l'attente de notre rencontre, je vous prie de croire, Madame, Monsieur, à l'expression de mes salutations distinguées.

1 Complétez les phrases avec : *il y a, depuis, pendant.*

a. Je travaille dans la même entreprise … quatre ans.
b. … six mois nous avons trouvé de nouveaux clients étrangers.
c. Nous avons négocié … trois semaines pour obtenir ce contrat.
d. … 2010, nous avons travaillé uniquement au niveau national.

2 Faites des phrases.

a. entreprise familiale – année dernière – travailler (depuis)
b. vacances – entreprise – fermer (pendant)
c. directeur des ventes – 2005 – être (depuis)
d. 3 ans – directeur – changer (il y a)

Les études supérieures en France et à l'étranger

LA SORBONNE

La Sorbonne est la plus ancienne université française. Elle date du XIIIe siècle. Cette université est publique, comme la plupart des universités françaises. Elle est installée en plein cœur de Paris. Aujourd'hui, on enseigne à la Sorbonne les disciplines littéraires, les sciences humaines et sociales, les arts.

L'ENA

À côté des universités, on trouve en France des grandes écoles. On accède à ces écoles par un concours d'entrée très sélectif. L'ENA, l'école nationale d'administration, est particulièrement prestigieuse. Durant toute leur scolarité à l'ENA, les élèves reçoivent un salaire.

FRANCE : UN DIPLÔME SINON RIEN ?

Aujourd'hui, en France, avoir un diplôme est essentiel pour décrocher un emploi, surtout dans une grande entreprise. Le candidat diplômé d'une école reconnue rassure l'employeur. L'employeur ne veut pas prendre le risque de se tromper en recrutant la « mauvaise » personne. Les recruteurs accordent, en effet, une grande confiance aux « institutions ».

1. Pourquoi est-ce que les employeurs préfèrent recruter un diplômé ?

Au salon de l'emploi

Destinés aux personnes à la recherche d'emploi, les salons de l'emploi connaissent une affluence très forte. Un salon de l'emploi s'est déroulé à Paris les 4 et 5 octobre 2012. Il a attiré 50 000 visiteurs et rassemblé 2 000 entreprises. Un salon de l'emploi est vraiment profitable, mais à condition d'être bien préparé ! Le candidat se procure, sur Internet, le programme du salon avec la liste des entreprises présentes et des offres d'emploi. Il sélectionne à l'avance les entreprises et les offres intéressantes. Il se renseigne sur ces entreprises : parfois, on propose au candidat un premier entretien, rapide, sur place. Le candidat a alors seulement quelques minutes pour convaincre.
Le candidat pense à soigner sa présentation et à emporter suffisamment de CV. Il prend le temps de flâner pour découvrir des entreprises.

1. À quoi sert un salon de l'emploi ?
2. Comment profiter de ce type d'événements ?

L'UdeM, L'UNIVERSITÉ DE MONTRÉAL

Le campus de l'université de Montréal est très vaste. Contrairement à la plupart des universités françaises, le campus abrite non seulement des salles de cours, des bibliothèques, mais également des résidences pour les étudiants. Les étudiants ont également à leur disposition sur le campus des équipements sportifs, des cafés, des cafétérias et des centres de soin. C'est une véritable ville dans la ville.

REMISE DE DIPLÔMES AUX ÉTATS-UNIS

Aux États-Unis, la scolarité universitaire s'achève par une cérémonie de remise des diplômes. En présence de leurs parents, les étudiants, vêtus d'une toge et portant un chapeau plat à pompon, sont appelés un par un à monter sur une estrade et reçoivent leur diplôme de fin d'études.

1. Comparez l'université de la Sorbonne et l'ENA avec le campus de l'université de Montréal ?
2. Quel est votre avis sur les cérémonies de remise de diplômes ?

Génération « y »

On appelle les jeunes nés entre la fin des années 1970 et le milieu des années 1990, la génération « y » (inspiré du « why » anglais). Pour la génération Y, le monde du travail est un monde dur, difficile, injuste : il est difficile de trouver sa place dans ce monde fermé.

1. Vous reconnaissez-vous dans la description de cette génération ?

1 **Un ami vous raconte sa recherche d'emploi. Écoutez l'enregistrement, puis mettez les phrases proposées dans l'ordre. Numérotez-les de 1 à 6.**

a. Consulter les offres d'emploi.
b. Préparer les lettres de recommandation et les certificats de travail.
c. Envoyer son CV et une lettre de motivation.
d. Demander conseil pour la lettre de motivation.
e. Refaire son CV.
f. Sélectionner les annonces.

2 **Vous recevez une réponse à une candidature spontanée. Lisez-la. Les phrases suivantes sont-elles vraies ou fausses ?**

a. C'est la réponse à votre lettre du 12 juin.
b. Votre candidature a été choisie.
c. Il s'agit d'un poste au service du personnel.
d. Le responsable du personnel va vous téléphoner.
e. Vous prenez rendez-vous pour la signature du contrat.
f. Le responsable du personnel veut vous rencontrer.

XXXXXX
XXXXXXXXX
XXXXXXXXXX
XXXXXXX

XXXXXXXXX
XXXXXXXXXX
XXXXXXXXX

Objet : Votre candidature

Marseille, le 30 juin 2013

Monsieur,
Nous faisons suite à votre lettre du 12 juin. Votre lettre a retenu notre attention et nous sommes intéressés par votre candidature au poste d'adjoint au service de la communication. Votre profil semble, en effet, correspondre au candidat recherché pour cette mission.
Nous vous remercions de prendre contact, dans les jours à venir, avec notre responsable du personnel afin de déterminer une date de rendez-vous pour un entretien.
Dans cette agréable attente, nous vous prions de croire, Monsieur, à l'assurance de nos sentiments les meilleurs.

Pierre B.
Directeur des Ressources Humaines

3 **Vous travaillez chez OXILON depuis deux semaines. Un de vos anciens collègues vous envoie un mail. Répondez à votre ancien collègue (50 mots environ).**

De : P. DUBOIS
Objet : nouveau job ?
Date : 18 février 2013
À : ....

Salut,
J'ai appris par Fabrice : tu es parti travailler pour la concurrence...
J'étais en vacances au moment de ton départ, donc pas pu te dire au revoir... ! Comment ça se passe ? Intéressant ? Raconte stp...
Les collègues sont sympas ?
Passe nous voir.
Bise et à bientôt,
Philippe

4 **Parlez d'une expérience professionnelle antérieure ou d'un stage.**

5 **Vous avez obtenu un entretien dans une entreprise de votre secteur professionnel. Le recruteur vous demande de raconter votre parcours professionnel et vous interroge sur vos motivations.**
Vous posez au recruteur quelques questions sur la nature du travail.
(Le professeur joue le rôle du recruteur.)

Je passe un entretien

UNITÉ 2

▶ Tâches, p. 117
▶ Phonétique, p. 123

PRÉSENTATION DES CONTENUS

Je passe un entretien d'embauche, je décris mon entreprise, j'explique mon parcours professionnel et mes études, je parle de mes atouts et de mes compétences, je lis un contrat de travail.

J'ai besoin des éléments grammaticaux suivants :
L'imparfait et la concordance des temps avec le passé composé
L'interrogation
Les réponses *oui / non / moi aussi / moi non plus*
Les adjectifs qualificatifs (place et accord)
Les adverbes de fréquence

J'ai aussi besoin des outils lexicaux suivants :
Les professions
L'informatique

Je passe un entretien

1 L'entretien d'embauche

Nathan Roche a rendez-vous avec Manon Leppuy, directrice des ressources humaines de la société Ordin'Air, spécialisée dans l'informatique.

Manon Leppuy : Bonjour Monsieur Roche. Asseyez-vous, je vous en prie.

Nathan Roche : Bonjour Madame, merci.

Manon Leppuy : Vous postulez donc pour le poste de responsable de zone. Parlez-moi un peu de vous. Quel est votre parcours professionnel ?

Nathan Roche : J'ai étudié le commerce international et le marketing à l'Institut de Commerce de Dijon. Durant mes études, j'ai fait plusieurs stages, notamment chez Ordi 3000. À la fin de mes études, ils m'ont proposé un CDD de 12 mois. J'étais chargé du suivi de la clientèle : je démarchais de nouveaux clients et j'organisais des salons pour informer et rencontrer les entreprises. C'était un travail très intéressant. Je partais souvent en déplacement.

Manon Leppuy : Pourquoi n'êtes-vous pas resté dans cette entreprise ?

(...) Voir transcription p. 133

– –

1. Écoutez le dialogue et répondez.

a. Dans quelle entreprise Nathan Roche passe-t-il un entretien ? Pour quel poste ?

b. Dans quelles entreprises est-ce que Nathan Roche a déjà travaillé ?

c. Où travaille-t-il actuellement ? Depuis combien de temps ?

d. Décrivez son poste actuel.

e. Pourquoi est-ce qu'il veut changer d'emploi ?

f. Quelles sont les qualités de Nathan ?

2 Témoignages

Louise
Après un BTS en informatique, j'ai eu de la chance. J'ai fait un stage de quelques mois chez Apple, aux États-Unis ! De retour en France, j'ai rapidement trouvé du travail dans ce secteur.

Antoine
J'ai assez régulièrement du travail : je suis inscrit dans une société d'intérim. Je fais des remplacements dans différentes entreprises.

Thomas
J'ai eu, pendant un an, un contrat en alternance au service marketing d'une importante société de logiciels. J'allais en cours deux jours par semaine et les trois autres jours, je travaillais dans l'entreprise. Ensuite, ils m'ont proposé un poste en CDI.

Hugo
J'ai fait un stage de 6 mois dans une petite entreprise d'informatique. C'était très intéressant. J'ai organisé plusieurs salons.

Émilie
J'ai fait trois stages dans trois entreprises différentes et maintenant je recherche un emploi, un CDD ou un CDI. J'ai un master en informatique avec une spécialisation en ingénierie.

2. Lisez les témoignages et répondez.

a. Qui a régulièrement du travail ?

b. Où Louise a-t-elle fait un stage ?

c. Quel diplôme possède Émilie ? et Louise ?

d. Qu'a fait Hugo pendant son stage ?

e. Qu'est-ce qu'un contrat en alternance ?

f. Quels sont les quatre types de contrats de travail mentionnés ?

Les mots pour

- Un stage
- Un BTS
- Un master
- Une spécialisation
- Un contrat en alternance
- Un contrat à durée déterminée (CDD)
- Un contrat à durée indéterminée (CDI)
- Une agence d'intérim
- Un remplacement

Les mots pour

- Postuler
- Un(e) responsable de zone
- Un parcours professionnel
- Étudier
- Le commerce
- Le marketing
- Le suivi de la clientèle
- Démarcher
- Une embauche / Embaucher
- Une compétence linguistique
- Un concurrent
- Un produit
- L'international
- Une qualité
- Organisé(e)
- Autonome
- Une perspective d'évolution
- Persévérant(e)
- Le siège
- Une responsabilité
- Un salaire brut
- Un recrutement

Savoir dire

Parler de son parcours professionnel
- J'ai fait un stage chez … pendant …
- J'ai travaillé chez … pendant …
- J'étais responsable de / chargé de …
- J'ai organisé des salons, des expositions…
- J'ai été embauché(e)…
- Je souhaite manager…

GRAMMAIRE

L'imparfait

■ L'imparfait est utilisé dans deux cas :
– pour parler d'une habitude passée, terminée :
  • *Quand je **travaillais** chez Chiva, je **commençais** tous les jours à 8 heures.*
– pour la description dans un récit :
  • *Elle **était** grande. Elle **avait** les cheveux longs et **avait** l'air sympathique.*

■ L'imparfait se forme à partir du radical du verbe à la 1re personne du pluriel auquel on ajoute les terminaisons suivantes : **-ais, -ais, -ait, -ions, -iez, -aient**.
  • *Regarder → nous regardons → **regard** + -ais, -ais, -ait, -ions, -iez, -aient.*
  • *Faire → nous faisons → **fais** + -ais, -ais, -ait, -ions, -iez, -aient.*
  • *Avoir → nous avons → **av** + -ais, -ais, -ait, -ions, -iez, -aient.*

■ Le verbe « être » est irrégulier à l'imparfait : *j'**étais**, tu **étais**…*

Voir précis de grammaire p. 129

La concordance des temps

■ Les récits combinent l'**imparfait** et le **passé composé**. L'imparfait sert à la description. Le passé composé est utilisé pour raconter des événements délimités dans le temps.
  • *Il **était** 9 heures, je **suis entré** dans mon bureau, tout **était** calme. On **m'a présenté** mes nouveaux collègues*

1 Mettez les verbes à l'imparfait.

a. Chez Chiva, je (travailler) vraiment beaucoup.
b. Tu (organiser) souvent des salons quand tu (être) assistante ?
c. Léo (faire) toujours son travail sérieusement et il (être) toujours à l'heure.
d. Tous les matins, en arrivant au bureau, j'(allumer) mon ordinateur puis je (boire) un café.
e. Vous (occuper) quel poste chez Chiva ?
f. Vous (avoir) beaucoup de responsabilités ?

2 Mettez les verbes au passé composé ou à l'imparfait.

a. J'(rencontrer) le directeur pour mon entretien. J'(être) impressionné.
b. Il m'(poser) beaucoup de questions sur mon travail. J'(avoir) peur de mal répondre.
c. Il (faire) un stage dans une entreprise informatique, il (être) sérieux. Le directeur (aller) le voir et lui (proposer) de l'embaucher.
d. Nous (rencontrer) notre nouveau collègue. Pendant cinq ans, il (travailler) en Allemagne.

1 Découvrir des professions

1. Lisez l'article et répondez.

a. Quel secteur est en évolution sur le marché de l'emploi ?
b. Combien de personnes travaillent dans l'informatique en France ?
c. Citez deux métiers de l'informatique.
d. Que font les ingénieurs et les techniciens ?
e. Quelles sont les différentes fonctions administratives ?

Les mots pour

- Le marché de l'emploi
- Le chômage
- La crise
- La recherche scientifique
- Un(e) informaticien(ne)
- Une main-d'œuvre
- Un logiciel
- Un(e) professionnel(le)
- Un profil
- Diplômé(e)
- Mobile
- La rigueur
- La curiosité
- Un esprit de synthèse
- Un(e) infographiste
- Un webmaster

- Un créateur de jeux
- La production
- L'exploitation
- Un ingénieur
- Un(e) technicien(ne)
- Concevoir
- Un(e) consultant(e)
- Un réseau
- Un système
- Une fonction administrative
- Un(e) assistant(e)
- Un(e) comptable
- Un(e) responsable de clientèle
- Un(e) responsable marketing
- Un vendeur / Une vendeuse

Le marché de l'emploi en baisse ?
Pas pour tout le monde !

C'est la crise de l'emploi ? Le chômage augmente ? Mais un secteur est en développement. Quel secteur est entré dans tous les domaines de notre vie privée et professionnelle ? Vous avez deviné ? C'est l'informatique bien sûr ! Et beaucoup d'entreprises ne trouvent pas de main-d'œuvre.

En France, plus de 600 000 personnes travaillent dans l'informatique. Où travaillent ces informaticiens ? 50 % produisent les systèmes ou les logiciels, 50 % utilisent ces produits dans les entreprises.

Qui sont ces professionnels très recherchés ? Quels sont leurs profils ? Généralement, ils sont jeunes, diplômés et mobiles. La rigueur, la curiosité, l'esprit de synthèse sont des qualités indispensables.

Dans l'informatique, on trouve des métiers très spécialisés : l'infographiste, le webmaster ou le créateur de jeux... Ils possèdent des compétences artistiques et informatiques. Les autres métiers sont moins spécialisés, mais une bonne connaissance de l'informatique est essentielle. On répartit ces métiers en trois grandes catégories.

▶ **La production et l'exploitation**
L'ingénieur et le technicien conçoivent et contrôlent les machines. Ils font parfois appel à un consultant. Le consultant propose des solutions aux problèmes de sécurité ou de protection des réseaux et des systèmes.

▶ **Les fonctions administratives**
Le directeur du service informatique dirige et organise le travail des équipes d'informaticiens en entreprise. Il est aidé par des assistantes. Les comptables gèrent les finances.

▶ **La vente et le marketing**
Le responsable de clientèle avec les vendeurs vend les nouveaux matériels : logiciels, ordinateurs, tablettes... Ils travaillent avec le responsable marketing.

---

2 Témoignages d'informaticiens

Naïla N., 31 ans, Bordeaux
J'adore l'informatique mais j'ai besoin de bouger ! J'ai toujours aimé le contact avec les clients. Au magasin, j'aide les clients à acheter leur ordinateur. Mes qualités ? Écouter, négocier, convaincre !

Damien G., 24 ans, Paris
Ce métier me plaît beaucoup. Je travaille seul chez moi, ou en équipe. J'invente, j'imagine, je trouve des solutions aux problèmes des clients.
Mes qualités sont la réactivité, la rigueur bien sûr, la logique et aussi l'esprit de synthèse.

Anne V., 29 ans, Vélizy
J'ai toujours aimé dessiner et jouer ! Alors, je travaille sur les logiciels de jeux. C'est un métier exigeant. Il évolue rapidement et la concurrence est grande. Mes qualités sont plutôt la rigueur, la patience, la créativité.

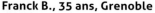

Franck B., 35 ans, Grenoble
Après mes études en électronique, j'ai travaillé sur les bases de données. Je crée et je contrôle les bases de données. C'est un métier très sérieux. Quelles sont les qualités nécessaires ? Comprendre les besoins des entreprises, s'adapter aux demandes des utilisateurs.

GRAMMAIRE

L'interrogation

■ Pour poser une question, on peut utiliser l'intonation montante.
  • *Tu travailles au mois d'août (↗) ?*

■ On peut utiliser **Est-ce que** en début de phrase.
  • *Est-ce que tu participes à la réunion de cet après-midi ?*

■ On peut simplement inverser le sujet et le verbe.
  • *Viens-tu à la réunion de 17 heures ?*

 Pour les verbes du 1er groupe, à la 3e personne du singulier (il/elle/on), on ajoute « -t- ».

  • *Travaille-t-il sur ce dossier actuellement ?*

■ On peut aussi utiliser des pronoms ou des adjectifs interrogatifs : *pourquoi ? quand ? où ? qui ? que ? qu'est-ce que ? quel(s) ? quelle(s) ?...*
  • *Pourquoi voulez-vous travailler dans notre société ?*
  • *Quelle est sa fonction ?*

■ On peut aussi poser une question à la forme négative.
  • *Vous **ne** travaillez **pas** le mercredi ?*
  • *Il **n'**est **plus** responsable commercial ?*

Répondre à une question

■ On peut simplement répondre à une question par **oui** ou **non**.
  • *Tu travailles le mercredi ? → **Oui / Non***

■ On utilise **moi aussi** en réponse à une phrase affirmative et **moi non plus** en réponse à une phrase négative.
  • *J'aime beaucoup mon nouveau travail → **Moi aussi.***
  • *Je ne trouve pas ce travail intéressant. → **Moi non plus.***

1 **Complétez les phrases avec des mots interrogatifs.**

a. ... voulez-vous quitter votre poste actuel ?
b. ... sont les avantages de votre travail ?
c. ... est située votre entreprise ?
d. ... vous a informé de ce problème ?
e. ... partez-vous en vacances ?
f. ... tu ne travailles pas le mercredi ?

2 **Imaginez quatre questions posées par un recruteur durant un entretien d'embauche**

> **Attention !**
> On n'utilise pas d'article devant un nom de profession ou devant une fonction.
> • Je suis ingénieur.
> • Elle est directrice.

---

2. Écoutez les témoignages. Les affirmations sont-elles vraies ou fausses ?

a. Damien peut travailler chez lui.
b. Anne vend des jeux vidéo.
c. Franck n'est pas diplômé.
d. Naïla construit des ordinateurs.

3. Quel est le métier des quatre personnes interrogées ?

Les mots pour

• La réactivité	• Une base de données
• La logique	• Sérieux / Sérieuse
• Exigeant(e)	• S'adapter
• La patience	• Négocier
• La créativité	• Convaincre

4.a. En groupe, imaginez toutes les questions d'un recruteur lors d'un entretien pour le poste proposé dans l'annonce (expérience, goûts personnels, qualités, défauts, salaire...).

b. Jouez la scène à deux. Un étudiant est le recruteur et un autre le candidat.

VIDEOPROD
Société de production d'animations 3D
recherche
Infographiste 3D
Poste basé à Bordeaux

Votre formation : Bac + 4 en Arts graphiques spécialisé en 3D
Votre expérience : 5 ans minimum
→ Vous êtes organisé, créatif, calme.

Votre mission : Vous travaillez en équipe, sous la direction du chef de projet. Vous réalisez des films d'animation 3D pour des entreprises ou des villes.

Votre salaire : 30 000 € / an, + selon profil

Merci d'envoyer votre candidature (CV et lettre de motivation) à : mvedra@videoprod.fr

2 UNITÉ

Je passe un entretien

1 Consulter un blog

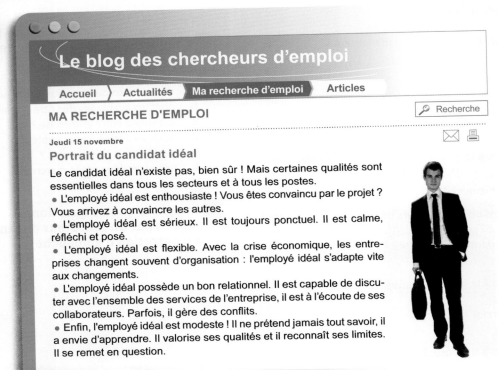

Le blog des chercheurs d'emploi

Accueil > Actualités > **Ma recherche d'emploi** > Articles

🔍 Recherche

MA RECHERCHE D'EMPLOI

Jeudi 15 novembre

Portrait du candidat idéal

Le candidat idéal n'existe pas, bien sûr ! Mais certaines qualités sont essentielles dans tous les secteurs et à tous les postes.
- L'employé idéal est enthousiaste ! Vous êtes convaincu par le projet ? Vous arrivez à convaincre les autres.
- L'employé idéal est sérieux. Il est toujours ponctuel. Il est calme, réfléchi et posé.
- L'employé idéal est flexible. Avec la crise économique, les entreprises changent souvent d'organisation : l'employé idéal s'adapte vite aux changements.
- L'employé idéal possède un bon relationnel. Il est capable de discuter avec l'ensemble des services de l'entreprise, il est à l'écoute de ses collaborateurs. Parfois, il gère des conflits.
- Enfin, l'employé idéal est modeste ! Il ne prétend jamais tout savoir, il a envie d'apprendre. Il valorise ses qualités et il reconnaît ses limites. Il se remet en question.

Les mots pour

- Idéal(e)
- Enthousiaste
- Convaincre
- Ponctuel(le)
- Calme
- Réfléchi(e)
- Posé(e)
- Flexible
- S'adapter
- Un bon relationnel
- Être à l'écoute
- Un collaborateur / Une collaboratrice
- Gérer un conflit
- Modeste
- Valoriser
- Une limite
- Se remettre en question

1. Écoutez le texte. Les affirmations sont-elles vraies ou fausses ?

a. L'employé idéal est souvent en retard.
b. L'employé idéal gère les conflits.
c. L'employé idéal parle avec tout le monde.
d. L'employé idéal a toujours raison.

2 Choisir un métier

2. Observez les documents et répondez.

a. Imaginez les métiers qui se cachent derrière les pictogrammes.

b. Et vous, pour quel métier êtes-vous fait ? Quelles sont les qualités nécessaires ? Possédez-vous ces qualités ?

3 Le contrat de travail

Article 1 – Engagement
1.1 La Société Web Pro engage par contrat à durée indéterminée Monsieur Gabriel Roussel en qualité de Responsable de zone à compter du 19 mars 2013, sous réserve des résultats de la visite médicale d'embauche.

Article 2 – Période d'essai
2.1 Les parties sont convenues d'observer une période d'essai de quatre mois au cours de laquelle chacune peut mettre fin au présent contrat dans les conditions légales en vigueur.

Article 4 – Rémunération
4.1 Au titre de ses fonctions, Monsieur Gabriel Roussel perçoit une rémunération mensuelle brute forfaitaire de 3 000 euros.
4.2 À cette rémunération s'ajoute le treizième mois conventionnel versé en novembre au prorata du temps de présence.
4.3 Monsieur Gabriel Roussel bénéficie de tickets-restaurants.

GRAMMAIRE

Les adjectifs qualificatifs

◼ Les adjectifs donnent des informations sur le nom qu'ils accompagnent. Généralement, ils se placent après le nom et s'accordent avec celui-ci en genre et en nombre.
  • *une candidate **motivée** ; un candidat **sérieux**/une candidate **sérieuse**...*

◼ Certains adjectifs se terminent en « e » au masculin et au féminin.
  • *flexible, enthousiaste, modeste, économique...*

◼ Certains adjectifs se placent avant le nom : *beau/belle, petit/grand, vieux/vieille, bon/bonne.*

◼ Les adjectifs de couleur s'accordent avec le nom sauf si la couleur renvoie à un nom (marron, cerise, orange, or...).
  • *Une jupe **noire** ; des chemises **blanches**...*
  • *Des bureaux **marron**...*

 Exception : l'adjectif rose s'accorde avec le nom qu'il accompagne.
  • *Des roses **roses***
Lorsque l'adjectif de couleur est composé, il ne s'accorde pas :
  • *Des jupes **bleu foncé**...*

Les adverbes de fréquence

◼ Pour indiquer la fréquence d'une action, on utilise des adverbes : *toujours, souvent, parfois, quelquefois, rarement, jamais...*
  • *Vous arrivez **toujours** à 9 heures au bureau.*
  • *Il ne travaille **jamais** le dimanche.*

1 Complétez les noms en gras avec les adjectifs entre parenthèses. Faites les accords nécessaires.

a. Mon assistante est **une femme**. (brun, petit)
b. J'ai enfin reçu mon **matériel informatique**. (nouveau)
c. Mon chef porte toujours **une cravate**. (bleu, vieux)
d. Nous avons **une nouvelle cafétéria**. (moderne, spacieux, clair)
e. Notre directrice est **une femme**. (jeune, sympathique)

2 Évoquez des activités ou des tâches de votre activité professionnelle. Utilisez les adverbes de fréquence ci-dessous.

• *Je ne déjeune **jamais** avec mes collègues.*
toujours – souvent – jamais – rarement

Article 5 – Horaires et congés payés
5.1 Monsieur Gabriel Roussel est soumis aux horaires en vigueur dans l'entreprise. Les horaires de travail sont les suivants : 9 heures-18 heures du lundi au jeudi, 9 heures-17 heures le vendredi.
5.6 Monsieur Gabriel Roussel bénéficie de congés payés annuels dans les conditions prévues par la loi, soit 5 semaines. De plus, dans le cadre des 35 heures, il bénéficie de 15 jours de RTT.

Article 7 – Avantages sociaux
Monsieur Gabriel Roussel bénéficie des régimes de retraite du Groupe Médéric et de mutuelle et de prévoyance du groupe Audiens

3. Lisez les articles du contrat de travail et répondez.

a. Quelle est la durée de la période d'essai de Gabriel Roussel ?
b. Qu'est-ce qui conditionne l'embauche de Gabriel Roussel ?
c. Quel est le montant de la rémunération de Gabriel Roussel ?
d. Quels sont les horaires de travail de Gabriel Roussel ?
e. De combien de jours de vacances par an dispose Gabriel Roussel ?
f. De quels avantages sociaux Gabriel Roussel bénéficie-t-il ?

4. Un(e) candidat(e) explique à un(e) ami(e) les conditions de son nouveau travail. L'ami(e) pose des questions. Utilisez les éléments proposés et jouez la scène.

CDD – informatique – Bac + 3 – salaire variable – débutant accepté – Lyon – déplacements – Anglais

Les mots pour

• Un engagement / Engager
• En qualité de
• Sous réserve de
• Une visite médicale d'embauche
• Les parties
• Une période d'essai
• Une condition légale
• En vigueur
• Percevoir
• Une rémunération forfaitaire
• Un treizième mois
• Au prorata
• Un ticket-restaurant
• Des congés payés
• La réduction du temps de travail (RTT)
• Un avantage social
• Une retraite
• Une mutuelle

S'adresser à ses collègues

Se saluer

En France lorsqu'on rencontre un interlocuteur pour la première fois, on lui serre la main. Au quotidien, pour se saluer entre collègues, on se contente d'un « bonjour », en général suivi du prénom du collègue. Le simple « salut », suivi ou non du prénom, est à réserver à ses collègues proches. Parfois des collègues s'embrassent mais c'est seulement, par exemple, après une longue période de vacances, pour un anniversaire...

Madame, monsieur ou prénom ?

En général, on appelle ses collègues par leur prénom, y compris ses supérieurs hiérarchiques. Mais cela n'est pas vrai partout. Dans certains secteurs, on s'adresse à son interlocuteur en rappelant

Partir travailler au Canada ?

La population de Montréal s'élève à 2 millions d'habitants et il y a 40 000 français ! Chaque année, entre 3 000 et 4 000 Français partent s'installer de manière définitive au Québec, sans compter les 7 000 visas temporaires également délivrés. Les francophones sont attirés par ce pays. Au Québec, on parle français et les immigrés sont les bienvenus ! Et surtout, le taux de chômage est faible, contrairement à la France. Cependant, l'emploi est souvent précaire.

Les travailleurs français sont séduits par la déhiérarchisation de l'entreprise. Au Québec, on tutoie son patron et on entre dans son bureau sans rendez-vous. Les travailleurs sont promus au mérite et pas à l'ancienneté.

Cependant, s'installer au Québec n'est pas simple ! Faute de préparation suffisante, un Français sur deux rentre en France assez rapidement ! Certes le pays offre du travail, mais on ne trouve pas toujours l'emploi souhaité. Les diplômes français ne sont pas toujours reconnus et certaines professions sont réglementées (médecin, ingénieur, dentiste, comptable, architecte...). Pour avoir accès à ces métiers, il faut repasser des examens.

Les grands espaces enneigés font rêver, mais les hivers sont longs et froids !

1. Pourquoi beaucoup de Français veulent-ils partir travailler au Québec ?
2. Quels problèmes rencontrent-ils sur place ?

sa fonction « Monsieur le directeur », « Madame la directrice ». C'est assez rare et cela s'applique, en général, à des situations précises.

Vouvoiement ou tutoiement ?
En France, on se tutoie facilement dans le monde professionnel, surtout ses collègues directs. Mais on vouvoie souvent son responsable hiérarchique. Tout dépend aussi des secteurs d'activité, de la taille de l'entreprise et des habitudes de l'entreprise.

1. Comment les Français se saluent-ils ? et les Asiatiques ?
2. En France, quel est l'usage avec ses collègues : le tutoiement ou le vouvoiement ? Et dans votre pays ?

Entretien d'embauche

▶ **Résumé** : David Salem, chargé de recrutement, reçoit Sabrina Reki pour un entretien d'embauche.

▶ **Objectifs**
• Parler de son parcours (études).
• Expliquer son parcours professionnel.
• Parler de ses atouts et compétences.

→ **Cahier d'activités**

L'échange de carte de visite
Dans le monde de l'entreprise, on échange souvent des cartes de visites. En France, on prend la carte de visite de son interlocuteur et on la met dans sa poche sans la regarder. Mais dans certains pays cela est très mal vu. Par exemple en Chine, on respecte un rituel. On prend la carte de visite à deux mains et on la tend à son interlocuteur. Celui-ci la lit avec attention avant de la ranger dans sa poche.

Dans votre pays, y a-t-il des règles à respecter pour donner une carte de visite ?

La ponctualité
Les Français ont souvent la réputation d'être en retard, 15 minutes ! C'est un peu exagéré. En France, pour un dîner, on arrive en général avec un quart d'heure de retard sur l'heure fixée. Il est même impoli d'être en avance. En revanche pour un rendez-vous professionnel, et surtout un entretien d'embauche, la ponctualité est essentielle !

Quelles sont les règles de politesse pour les horaires dans votre pays ?

1 Complétez les phrases suivantes avec *il y a, depuis, pendant, en.*

a. Je travaille chez Ordi 3000 ... 2 ans.
b. ... 2011, j'ai démissionné.
c. Je suis restée chez Logipro ... 3 ans
d. ... combien de temps est-il en stage chez nous ?
e. Monsieur Gicquel et moi, nous nous connaissons ... dix ans.
f. Cette marque d'ordinateurs est vraiment très bonne : ... cinq ans, nous n'avons jamais eu de problème.

2 *Être* ou *avoir* ? Choisissez le bon auxiliaire.

a. Hier, il ... enfin présenté son projet.
b. Elles ... allées à Bruxelles pour passer un entretien.
c. Vous ... terminé vos lettres de motivation ?
d. Il ... sorti des CV de son tiroir.
e. Je ... monté au dernier étage dans le bureau du directeur.
f. Nous ... été stagiaires et nous ... beaucoup appris.
g. Tu ... reçu des réponses à tes candidatures spontanées ?

3 Conjuguez le verbe entre parenthèses au passé-composé ou à l'imparfait.

a. Quand il (arriver), Sophie (travailler) déjà.
b. Les employés (offrir) une montre au PDG quand il (partir) à la retraite.
c. Nous (être) très jeunes quand nous (créer) notre entreprise.
d. J'(voir) ton appel, mais je (ne pas pouvoir) répondre parce que j'(être) en entretien.

4 *Le parcours de Paul :* conjuguez les verbes entre parenthèses au temps qui convient.

Je (faire) mes études à Toulouse, je (étudier) l'économie et la finance à l'IEF. Pendant mes études, je (faire) régulièrement des stages en entreprise.
En 2010, je (commencer) à chercher un travail dans la région. Je (consulter) tous les jours les annonces sur Internet et je (envoyer) aussi des candidatures spontanées.
Un jour, je (recevoir) un appel téléphonique de la société Financial. Ils m' (convoquer) pour un entretien. Je (être) retenu. Je (signer) un contrat en CDI. Je (avoir) d'abord trois mois de période d'essai. Le salaire (être) de 35 000 euros par an plus des primes et bien sûr je (avoir) 5 semaines de congés.

5 Complétez les phrases avec un mot interrogatif.

a. ... est ton salaire ?
b. ... tu as écrit ta lettre de motivation?
c. ... tu n'as pas envoyé ton CV?
d. ... de temps a-t-elle travaillé chez Couture + ?
e. ... est-ce que son entreprise est installée ?

6 Complétez les phrases avec les mots suivants.

stages – entretien – être diplômé – candidatures spontanées – période d'essai – salaire – contrat – offres d'emploi – congés – primes – études

a. Tous les matins, il achète le journal pour consulter les ... .
b. Je crois que mon ... s'est bien passé.
c. Avant d'occuper ce poste, j'ai effectué différents ... .
d. Grâce à mes ... de marketing, ma candidature a été retenue.
e. J'ai envoyé plus de cinquante ... avant d'obtenir ce poste.
f. Pouvez-vous préciser quelles sont vos prétentions, en ce qui concerne le ... ?
g. D'après mon ..., j'ai droit à deux jours et demi de ... par mois.
h. Pour obtenir ce poste, il faut ... en comptabilité et faire une ... de trois mois.
i. Mon salaire n'est pas très élevé, mais les ... sont intéressantes.

7 Dans votre travail, donnez la fréquence des activités suivantes. Conjuguez les verbes au présent ou au passé en fonction de votre situation professionnelle actuelle.

• *J'étais* **souvent** *nerveux avant un entretien d'embauche. Maintenant, j'essaie* **toujours** *de paraître calme.*

a. regarder la presse spécialisée
b. prendre 30 jours de congés consécutifs
c. envoyer des candidatures spontanées
d. mettre une photo sur mon CV
e. arriver le premier au bureau
f. participer aux activités de l'entreprise (équipe de football)
g. déjeuner avec les collègues
h. répondre aux mails le matin

8 Mon patron, mes collègues... Ils travaillent avec vous depuis des mois parfois même des années, mais vous ne les connaissez pas. Aujourd'hui, vous avez le droit de tout leur demander. Posez des questions.

9 Quelles sont les qualités nécessaires aux postes suivants ? Associez les adjectifs aux professions.

dynamique – organisé – sens du contact – motivé – à l'écoute – rigoureux – responsable – discret – ponctuel – calme – flexible – enthousiaste

Technicien informatique	Responsable RH	Assistante du directeur	Ingénieur

10 Retrouvez les termes.

Nom	Verbe
Un emploi	...
Le ...	Recruter
La rédaction de la lettre	... une lettre
La ...	Négocier son salaire
Les études	...
La ... d'emploi	Rechercher un emploi
Une spécialisation	Se ...

11 Complétez l'offre d'emploi avec les mots proposés.

gérez – CDI – lettre de motivation – entreprise – autonome – parlez – commercial – formation

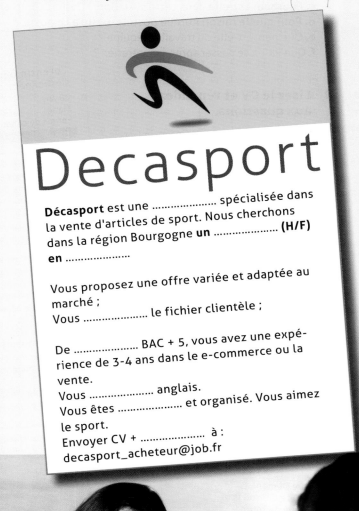

Decasport

Décasport est une .... spécialisée dans la vente d'articles de sport. Nous cherchons dans la région Bourgogne **un** .... **(H/F)** **en** ....

Vous proposez une offre variée et adaptée au marché ;
Vous .... le fichier clientèle ;

De .... BAC + 5, vous avez une expérience de 3-4 ans dans le e-commerce ou la vente.
Vous .... anglais.
Vous êtes .... et organisé. Vous aimez le sport.
Envoyer CV + ... à : decasport_acheteur@job.fr

Entraînements aux examens

1 Écoutez l'entretien d'embauche d'Aurélia Bréga et répondez aux questions.

a. Pour quel poste est-ce que Aurélia Bréga postule ?
b. Quelle est la situation professionnelle actuelle d'Aurélia ?
c. Pourquoi est-elle dans cette situation ? Depuis combien de temps ?
d. Pour quelle raison Aurélia postule-t-elle à ce poste ?
e. Que pense-t-elle du travail en équipe ?
f. Que va-t-il se passer après cet entretien ?

2 Lisez le CV et répondez aux questions.

a. Que fait actuellement Corentin Garcia ?
b. Quelles sont ses qualités ?
c. Qu'a-t-il fait comme études ?
d. Combien de temps a-t-il travaillé chez Philippe Dreyfuss ? Quel type de contrat avait-il ?
e. Où vit actuellement Corentin ? D'où est-il originaire ?
f. Quels sont ses centres d'intérêt ?

3 Vous avez passé un premier entretien d'embauche. La responsable des recrutements vous contacte de nouveau pour réaliser un second entretien. Elle souhaite plus de renseignements. Lisez sa lettre et répondez.

Corentin Garcia
Gestionnaire de stock informatique

28 ans
Marié
Permis de conduire B

Mon CV en ligne :
www.doyoubuzz.com/corentin-garcia

Expériences

Technicien Informatique
Patrick Steinmetz – Bruxelles – CDI – Septembre 2008, en cours
➤ Gestionnaire du parc informatique de l'entreprise SOFTIntel
➤ Support Informatique pour l'entreprise Assurances LEPUYS

Gestionnaire de stock
Philippe Dreyfuss – Montpellier – CDD – Septembre 2007 à juin 2008
➤ Réorganisation et gestion du stock, suivi de la clientèle

Compétences

Logiciels et Plateformes
➤ Famille Microsoft
➤ Logiciel d'inventaire
➤ Langages de développement : HTML / JavaScript / PHP / CCS / Flash / MySQL
➤ Plateforme Web : Wordpress, Twitter, Google Tools, Facebook (fan page et apps)

Maintenance
Maintenance matérielle et logicielle sur PC, mac, smartphones et tablettes.

Communication / Relationnel
Accueil - vente

Formations

BTS Maintenance Industrielle – Lycée Denis Diderot (Narbonne)
Septembre 2005 – Juin 2007
Baccalauréat STI – Lycée Professionnel Gustave Eiffel (Narbonne)
Septembre 2004

Me contacter
① Portable : 06 00 10 20 20
✉ Email : corentin-garcia@teleline.com

Présentation
Actuellement en poste dans une **société de services en ingénierie informatique (SSII)** à Bruxelles.
Je cherche un poste motivant pour pouvoir développer toutes mes capacités et mes compétences, dans une structure jeune et dynamique, avec des perspectives d'avenir. Je suis ouvert et organisé et j'ai un esprit de synthèse. Je privilégie le travail en équipe. Je suis actuellement en poste mais je suis ouvert à de nouvelles propositions.

Gestion et rédaction d'un blog personnel
leblogdecorentin.fr

Langues
Anglais : niveau C1
Espagnol : niveau B2
Allemand : niveau B1

Centres d'intérêts
Informatique et nouvelles technologies.

Flore Dumont
Société Consult Pro
10, rue de Tournai
59000 Lille

Lille, le 20 mars 2013

Madame,

Suite à notre entretien de jeudi dernier, nous souhaitons vous rencontrer à nouveau pour approfondir notre entretien. Nous voulons des précisions sur vos études : spécialités, contenus de vos cours de master...Nous souhaitons aussi une copie de vos diplômes.
Nous avons fixé une seconde rencontre au mercredi 27 mars, à 14h30, dans nos bureaux. Merci de nous confirmer votre disponibilité pour cette date et cet horaire. Monsieur Bertrand Fontaine, le directeur du département, veut également vous rencontrer.

Recevez, Madame, nos salutations les meilleures.

Flore Dumont
Responsable ressources humaines

4 Vous décrivez votre recherche d'emploi : combien de temps a duré cette recherche d'emploi, comment avez-vous procédé...

5 Vous discutez avec un(e) ami(e) de l'importance des compétences, par rapport à la formation, ou même à l'expérience professionnelle. Vous parlez aussi de l'importance de l'expérience professionnelle. (Le professeur joue le rôle de l'ami(e).)

Je déménage

PRÉSENTATION DES CONTENUS

Je lis une annonce immobilière, je discute avec un agent immobilier, je visite un appartement, je demande des renseignements sur une ville, je demande mon chemin, je donne mes impressions.

J'ai besoin des éléments grammaticaux suivants :
Les prépositions devant les noms de lieux (rappel)
pouvoir / vouloir / devoir
aller à, être à, venir de + lieu
La négation dans la phrase

J'ai aussi besoin des outils lexicaux suivants :
Le logement
Les plans de ville
La ville et les commerces
Les expressions servant à décrire des sentiments

▶ **Tâche, p. 118**
▶ **Phonétique, p. 123**

Je déménage

1 Bonne nouvelle !

Nathan Roche : Oui, allô !
Manon Leppuy : Bonjour Monsieur Roche, Manon Leppuy.
Nathan Roche : Oui, bonjour Madame...
Manon Leppuy : Bien... Suite à notre entretien, nous avons décidé de vous recruter pour le poste de responsable de zone.
Nathan Roche : Merci pour votre confiance.
Manon Leppuy : Concernant le salaire, nous avons étudié votre proposition. Nous ne pouvons pas vous donner 33 000 euros. Cependant nous faisons un effort et nous vous proposons 32 000 euros. Cela vous convient ?
(...) Voir transcription p. 133

1. Écoutez le dialogue et répondez.

a. Qui est au téléphone ? Pourquoi ?
b. Quand est-ce que Nathan doit commencer son nouveau travail ?
c. Quel est le montant du salaire proposé à Nathan Roche ?
d. Pourquoi est-ce que Nathan doit déménager ?

2. Complétez les phrases avec les mots suivants :
déménager – installer – entretien – formalités

a. Hier, Laura a passé un ... pour un poste d'adjointe de direction.
b. Mon nouveau poste est à Fontainebleau ; j'envisage de m'... sur place.
c. Avant de prendre mon poste, je dois régler quelques ... administratives.
d. J'ai trouvé un bel appartement : je ... la semaine prochaine.

> en + pays féminin   Je pars **en** Espagne.
> au + pays masculin   Je suis **au** Portugal.
> aux + pays pluriel   Je vis **aux** États-Unis.
> à + ville   Je pars **à** Lyon.
> chez + nom ou profession   Je vais **chez** mes grands-parents/
>   chez le docteur.
>
> Les pays féminins se terminent en « e » :
> la France, la Chine, l'Italie...
> ⚠ **Le Mexique** et **le Mozambique** sont masculins.

GRAMMAIRE

Pouvoir, vouloir, devoir

■ *Pouvoir, vouloir, devoir* sont suivis d'un verbe à l'infinitif.

• *Je veux m'installer au Québec.*	(*vouloir* exprime la volonté)
• *Il peut déménager la semaine prochaine.*	(*pouvoir* exprime la possibilité)
• *Ils doivent partir dans le sud de la France.*	(*devoir* exprime l'obligation, la nécessité)

■ La négation se place autour du verbe conjugué.
• *Je ne peux pas rester à cette réunion.*

Les mots pour

• Une proposition
• Un effort
• Faire un effort
• Convenir
• Déménager
• S'installer

• Chercher un appartement
• Une signature
• Une formalité administrative

1 Complétez les phrases avec les verbes *pouvoir, vouloir* ou *devoir*.

a. Je ... partir maintenant pour ne pas être en retard.
b. Vous ne ... pas répondre à cette annonce ?
c. Il ... travailler à Marseille : il aime beaucoup cette ville.
d. Nous ne ... pas vous donner le salaire demandé.
e. Je ... être à l'heure pour mon entretien.

2 Dans la presse...

3. Lisez les textes relevés dans la presse et répondez.

a. Dans quel pays est-il habituel de travailler loin de chez soi ?
b. Quel pourcentage d'Européens ne vit pas dans son pays d'origine ?
c. Combien de Français sont disposés à déménager pour des raisons professionnelles ?
d. Que signifie « être sédentaire » ? Pourquoi c'est un handicap ?

4. Seriez-vous prêt(e) à partir dans un autre pays pour le travail ? Travaillez par petits groupes en faisant une liste des arguments pour et des arguments contre.

> **Les Français sont prêts à déménager pour trouver le bon poste.** Selon une enquête, 72 % des Français veulent bien déménager dans une autre ville pour le travail, et 50 % veulent bien partir à l'étranger pour travailler....

> *Aujourd'hui, 2,3 % des habitants de l'Union européenne vivent dans un État membre différent de leur pays d'origine.*

> Aux États-Unis, déménager pour travailler ailleurs est naturel. En Europe, cette mobilité fait encore un peu peur. Mais dans la situation économique actuelle, être sédentaire peut être un handicap.

3 Ils ont déménagé pour leur travail

Clara, 24 ans
Je cherchais du travail depuis un moment. Je ne voulais pas quitter Paris, mais j'ai accompagné une amie au salon Provemploi, un salon consacré au travail en province. Là, j'ai rencontré le directeur d'une PME installée dans le sud de la France. Nous avons longuement discuté. Mon profil a intéressé le directeur et quelques semaines plus tard il m'a appelée et fait une proposition de travail très intéressante. J'ai décidé de sauter le pas. J'ai emménagé depuis six mois seulement dans ma nouvelle ville et je suis très heureuse !

Nicolas 27 ans et Camille 26 ans
Un jour, par hasard, j'ai vu une offre d'emploi super intéressante : un poste de responsable marketing dans une grande entreprise d'articles de sport, mais à 300 km de chez moi ! J'adore le sport et j'ai toujours rêvé de concilier ma passion avec mon travail. J'ai décidé de postuler et j'ai eu le poste ! Camille, ma compagne, a obtenu une mutation : elle est enseignante. Nous avons déménagé depuis maintenant deux ans et nous ne regrettons pas.

Les mots pour

- Un article de sport
- Concilier
- Une passion
- Une mutation
- Un(e) enseignant(e)
- La province
- Une PME (une petite et moyenne entreprise)
- Sauter le pas
- Emménager

5. Écoutez les deux témoignages et répondez aux questions.

a. Quel est le métier de Nicolas ? et de Camille ?
b. Quelle est la passion de Nicolas ?
c. Pourquoi Nicolas a-t-il déménagé ?
d. Depuis combien de temps Nicolas et Camille ont-ils déménagé ? et Clara ?
e. Où Clara est-elle allée pour chercher du travail ?
f. Dans quelle région Clara travaille-t-elle ?

Je déménage

1 Je lis les annonces immobilières

Paris Xᵉ, métro Louis Blanc – À louer studio 40 m², 3ᵉ étage sans ascenseur.
Chambre, salon + coin cuisine, SDB, WC. Proche toutes commodités.
750 € par mois + 40 € de charges. Frais d'agence : 500 €
Agence du Parc : 06 26 10 10 10

À 20 min de Paris : JH sérieux cherche personne pour partager en colocation petite maison très calme 60 m² avec jardin. 2 chambres, SDB, salon, salle à manger, cuisine équipée. Animaux non acceptés.
Loyer : 500 euros TTC
Contacter Julien : 06 63 63 63 63

2 Je cherche un appartement

Au téléphone.

Paul : Bonjour Monsieur, j'ai trouvé un emploi à Strasbourg et je suis à la recherche d'un appartement. J'ai repéré une annonce intéressante, un appartement de trois pièces bien situé, en centre-ville.

Agent immobilier : Oui, celui de la rue de la Grange... Il est dans un immeuble ancien, rénové récemment. Je peux vous le faire visiter. Je suis à l'agence, mais je peux vous retrouver là-bas à 13 h.

Paul : Parfait.

La visite de l'appartement.

Paul : Bonjour, je suis un peu en retard. Je viens du bureau et il y avait des embouteillages...

Agent immobilier : Bonjour, je vous en prie. L'appartement est dans cet immeuble, le balcon avec les fleurs.

Paul : Il y a un balcon, c'est très bien.

Agent immobilier : Il y a un code d'entrée et un interphone. ... Voilà, c'est la porte à gauche. Entrez...

Paul : L'entrée est un peu sombre...

Agent immobilier : Voilà le séjour ; il fait 15 m² et la cuisine est à votre gauche. Elle n'est pas très grande, mais elle est équipée.

Paul : Ah oui, le salon est spacieux et clair ! Je peux voir les deux chambres ?

Agent immobilier : Bien sûr. Il y a un petit couloir puis une salle de bain avec une douche seulement, il n'y a pas de baignoire. De chaque côté, vous trouvez les chambres. La chambre de droite est grande. La chambre de gauche est calme : elle donne sur une cour intérieure.

(...) Voir transcription p. 133

1. Lisez les deux annonces immobilières ci-contre et répondez.

    a. Où se situe l'appartement de l'annonce 1 ? et la maison de l'annonce 2 ?
    b. Qui loue l'appartement de l'annonce 1 ? et la maison de l'annonce 2 ?
    c. Quel est loyer pour chacune des deux annonces ?
    d. Quelle est la surface de l'appartement de l'annonce 1 ? et de la maison de l'annonce 2 ?
    e. Combien de pièces possède la maison de l'annonce 2 ?
    f. Quelle est la particularité de l'annonce 2 ?

2. Rédigez l'annonce immobilière de votre appartement (ou de votre futur appartement). Utilisez des abréviations.

3. Jeu de rôle à partir des annonces de la page 32. Un apprenant joue le rôle de l'agent immobilier, un autre celui de la personne à la recherche d'un appartement.

> **Les mots pour**
> - Un studio
> - Une location / Un(e) locataire
> - Une colocation / Un(e) colocataire
> - Louer
> - Une cuisine équipée
> - Un coin cuisine
> - Un loyer
> - Une agence immobilière
> - Des charges
> - Des frais d'agence
> - Mètre carré (m²)

- -

4. Écoutez le dialogue et répondez.

a. Que cherche Paul ?	**d.** Quelle est la particularité de la salle de bain ?
b. Où est situé l'appartement ?	**e.** Comment est le quartier ?
c. Quelle est la taille du salon ?	**f.** Quels papiers Paul doit-il fournir ?

5. Associez les mots et leurs abréviations.

Salle de bain	• •	tbe
Toilettes	• •	dig
Rez-de-chaussée	• •	sdb
Charges comprises	• •	cuis
Ascenseur	• •	rdc
Très bon état	• •	ét.
Digicode	• •	WC
Étage	• •	cc
Cuisine	• •	asc

> **Les mots pour**
>
> - Un appartement
> - Un immeuble
> - Bien situé / Excentré
> - En centre ville
> - Rénové
> - Récemment
> - Moderne / Ancien
> - Un code d'entrée / Un digicode
> - Un interphone
> - Spacieux / Petit
> - Clair / Sombre
> - Une cour intérieure
>
> - Un quartier
> - Calme / Bruyant / Animé
> - Constituer un dossier
> - Un document
> - Une pièce d'identité
> - Un bulletin de salaire
> - Un relevé d'identité bancaire (RIB)
> - Un avis d'imposition
> - Une caution
> - Signer un bail
> - Un propriétaire
> - Se porter garant

6. Décrivez votre lieu d'habitation :
nombre de pièces, localisation géographique, style, avantages et inconvénients...

    • *Chez moi il y a ... / Mon appartement est situé ... / Il est plutôt ...*

GRAMMAIRE

Aller à / Être à / Venir de + lieu

■ Les verbes *aller*, *être* et *venir* suivis de la préposition *à* ou de la préposition *de* indiquent :
– le lieu où l'on va.
    • *Je **vais à** l'agence.*
– le lieu ou l'on est.
    • *Je **suis au** bureau*
– le lieu d'où l'on vient.
    • *Je **viens de** l'appartement.*

1 Complétez avec le verbe qui convient : *être*, *aller*, *venir*.

    a. Jeanne ... à l'agence immobilière.
    b. Aboubakar et Elsa ... à Strasbourg visiter un appartement.
    c. Pierre ... d'Afrique : là-bas, il dirige un projet important.
    d. En ce moment, il ... au bureau, en pleine réunion.
    e. Il ... du congrès annuel : les résultats de l'entreprise sont bons.

Je déménage

1 Se repérer dans une nouvelle ville

Paul vient d'emménager à Strasbourg. Sa femme et leur fils de 5 ans viennent de le rejoindre. Ils découvrent ensemble leur nouveau quartier.
(...) Voir transcription p. 133

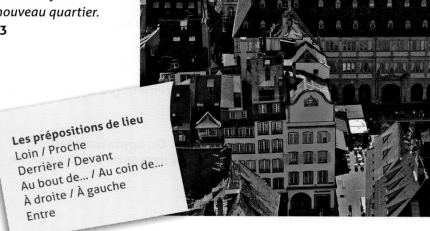

Les mots pour

- Une mairie
- Un distributeur de billets (DAB)
- Une banque
- Un arrêt de tram, de bus...
- Une poste
- Un quartier
- Un plan

Les prépositions de lieu
Loin / Proche
Derrière / Devant
Au bout de... / Au coin de...
À droite / À gauche
Entre

3 J'aime ma ville...

Montréal en automne
J'adore Montréal toute l'année, mais cette ville est particulièrement belle en automne. J'aime beaucoup quand la végétation prend des tons rouges, roses, orangés, marron... C'est une véritable explosion de couleurs éclatantes ! À cette saison, les évènements culturels sont nombreux : théâtre, cinéma, spectacles... Et les journées sont encore chaudes !

Alger au printemps
Avec la douceur du printemps, la ville renaît !
Les journées s'allongent, les journées sont ensoleillées.
J'aime me promener le long de la mer. Il fait bon vivre à Alger au printemps.

Dakar en décembre
J'aime Dakar en décembre : les températures sont douces et agréables. J'apprécie de pouvoir profiter de l'animation des rues sans être écrasé par la chaleur, d'observer les pirogues colorées des pêcheurs sur la plage de Soumbédioune.

1. Écoutez le dialogue et répondez.

a. Que font Paul et sa femme ?
b. Que cherche Paul ?
c. Que veut savoir Nina ?
d. Où se trouve le distributeur de billets ? et la poste ?

2 Se repérer dans une ville

2. Observez le plan. À deux, l'un pose des questions sur l'emplacement des commerces, des jardins, des administrations, sur la manière d'aller d'un endroit à un autre ; l'autre lui répond.

3. À votre tour, décrivez votre ville (ou une ville de votre choix) à une période précise de l'année. Quelle est la saison que vous préférez ? Pourquoi. Donnez vos impressions.

4. Vous venez de vous installer dans une nouvelle ville. Vous décrivez votre nouvelle ville (ou votre nouveau quartier) à un(e) ami(e) avec ses avantages et ses inconvénients.

Paris en été
J'aime Paris au mois d'août. J'apprécie le calme de la ville : les parisiens sont partis en vacances, le trafic est moins dense. Je prends le temps de flâner dans les rues, sur les bords de la Seine, dans les parcs. Je redécouvre ma ville loin de son tumulte habituel.

Savoir dire

Donner ses impressions
• J'aime / j'aime bien / j'aime beaucoup…
• J'apprécie…
• J'adore…
• Je me sens bien/mal…

GRAMMAIRE

La négation dans la phrase

■ Pour mettre une phrase à la forme négative, on utilise *ne … pas*, *ne … plus*, *ne … jamais*, *ne … rien*, *ne … personne*.

■ Dans une phrase conjuguée à un temps simple, la négation encadre le verbe.
• *Nous **ne** travaillons **pas** demain.*
• *Il **ne** connaît **personne** dans cette ville.*

■ Dans une phrase conjuguée à un temps composé, la négation encadre l'auxiliaire.
• *Il **n'a jamais** trouvé la poste.*
• *Il **n'a rien** trouvé à louer !*

■ Quand la négation porte sur un verbe à l'infinitif, **ne** et **pas/plus/rien**… sont collés et se placent devant le verbe à l'infinitif.
• *Il a préféré **ne plus** venir.*

1 Mettez les phrases à la forme négative.

a. Nous avons eu un rendez-vous à l'agence ce matin.
b. J'ai vu sortir un homme du bureau.
c. Tu travailles toujours le mercredi.
d. Il attend encore la réponse du propriétaire.
e. Je suis retournée visiter cet appartement.

2 Faites des phrases négatives, comme dans l'exemple.

• *je / rédiger / un rapport → Je ne rédigerai pas de rapport.*
a. Monsieur Coignard / travailler / depuis trois ans
b. Mes collaborateurs / devoir révéler / notre chiffre d'affaires
c. Nous / rien décider / au terme de notre entretien
d. Je / jamais révéler / les résultats de l'enquête

Vivre et travailler à Paris

Paris ? « Ville-Lumière », « La plus belle ville du monde », « La capitale des amoureux et du romantisme »... affirment beaucoup d'étrangers. Nous avons interrogé des habitants de la capitale française.

Pierre, 43 ans, à Paris depuis 18 ans

« Je suis ingénieur. J'ai trouvé à Paris mon premier emploi. Déambuler dans les rues de la ville, traverser l'Histoire, reste pour moi, même après toutes ces années, une grande joie. »

Allison, 25 ans, à Paris depuis 4 mois

« J'adore Paris ! Un jour j'ai franchi le pas et j'ai envoyé mes CV à des entreprises parisiennes, j'étais un peu inquiète... La vie est dure à Paris, disent beaucoup de gens ! Mais franchement, je n'ai pas de regrets ! »

Christelle, 38 ans, mère de 2 enfants, à Paris depuis 6 ans

« Lors de ma mutation à Paris, le plus dur a été de trouver un logement proche de zones vertes... Voir ses enfants jouer au football dans des squares minuscules, ce n'est pas facile ! Nous habitons en banlieue. Tous les jours, les trajets pour aller travailler à Paris sont longs et fatigants. J'ai l'intention de retourner en province dès que possible. »

Romain, 25 ans, à Paris depuis 3 ans

« Les plus de Paris ? On ne s'ennuie jamais, et les transports en commun sont top : je mets 20 minutes pour aller travailler ! Les moins ?... Les prix... Venant de Strasbourg, je trouve tout cher et surtout les loyers ! »

VILLE OU CAMPAGNE ? MAISON OU APPARTEMENT ?

60 % des Français vivent dans une commune de 20 000 habitants, mais 65 % veulent habiter à la campagne. Seuls les habitants de la région parisienne préfèrent la ville, à 63 % ! 79 % des Français rêvent d'être propriétaires. Ainsi 75 % des propriétaires vivent en maison et 77 % des locataires habitent en appartement.

1. Selon vous, quels sont les avantages de vivre dans une maison ? et dans un appartement ?

1. Lisez les quatre témoignages. Quels sont les arguments en faveur à Paris ? et ceux contre.
2. Où est-ce que vous préférez vivre ? Justifiez votre choix.

Vivre à Bruxelles

Bruxelles est une ville très internationale, mais une petite capitale par sa superficie. Quand il n'y a pas de circulation, on la traverse en 30 minutes en voiture ! Mais le soir, on peut mettre plus d'une heure pour sortir de la ville. Le métro est alors la meilleure solution !

Les quartiers recherchés se situent pour la plupart en périphérie du centre de Bruxelles : le Bois de la Cambre, Ixelles, Uccle.

1. Vivez-vous en centre-ville ou en périphérie ? Que préférez-vous ?

Des voisins ?
Oui, mais pas trop présents !

Trois Français sur quatre déclarent connaître leurs voisins, mais seulement un sur deux déclare les fréquenter. La fête des voisins, créée en 1999, permet aux voisins de faire vraiment connaissance. Ainsi 6,7 millions de personnes ont partagé un moment, en 2011, autour d'un verre ou d'un pique-nique. Ces rencontres permettent de rompre la solitude de certains habitants de grandes villes. L'entraide peut s'organiser. Les jeunes font les courses pour des personnes âgées. D'autres aident les enfants à faire leurs devoirs. Des liens se créent et les voisins se retrouvent pour prendre l'apéritif... sans attendre la fête des voisins ! Cependant, 36 % des Français préfèrent vivre isolés des autres.

1. Quelles relations est-ce que vous avez avec vos voisins ?
2. Que pensez-vous de la fête des voisins ?
3. Observez l'affiche. Quelles activités ont lieu lors de la fête des voisins ?

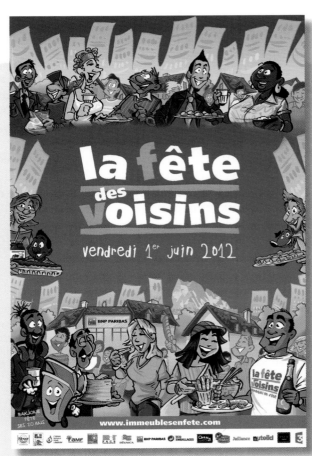

Entraînement aux examens

 1 **Vous avez un message sur votre boîte vocale. Écoutez le message puis lisez les phrases suivantes. Cochez les phrases correctes.**

a. Vous avez visité un appartement ce matin.
b. L'appartement n'est pas disponible en ce moment.
c. Vous pouvez aller directement visiter de nouveau l'appartement.
d. Elisabeth est disponible aujourd'hui dans l'après-midi.
e. Vous pouvez revoir l'appartement cette semaine.
f. Vous devez constituer un dossier pour avoir l'appartement.
g. L'agence est ouverte de 8 h à 18 h.

 2 **Vous lisez un article avant de partir vivre et travailler au Québec. Répondez aux questions. Justifiez vos réponses : recopiez la partie du texte correspondante.**

a. Ce document s'adresse à des Français qui souhaitent s'installer au Québec.

b. Les prix des locations au Québec sont plus intéressants dans les centres-villes.

c. Pour s'informer sur les locations au Québec, il existe un portail Internet du gouvernement québécois.

d. Comment pouvez-vous obtenir plus de renseignements avant de partir pour le Québec ?

e. Quel est le prix moyen d'une location au Québec pour un deux pièces ?

Vous avez choisi le Québec : félicitations !

Votre demande est acceptée. Maintenant, il vous faut un logement. Pour seulement quelques mois, un appartement meublé est parfait. Mais pour une longue période, vous préférez sûrement un appartement ou une maison. Le Québec offre des possibilités très variées.

La location d'un appartement de deux pièces coûte en moyenne entre 650 et 700 dollars canadiens. Comme souvent, lorsqu'on s'éloigne des centres urbains, les prix sont moins chers.

Le portail « Vivre en logement », du gouvernement québécois : http://.gouv.qc.ca, présente les droits et les obligations du locataire et un grand nombre de renseignements très utiles.

Pour obtenir des renseignements avant votre départ, le Bureau d'immigration du Québec à Paris, vous attend aux 87-89 rue La Boétie, dans le 8ᵉ arrondissement !

À très bientôt !

 3 **Un nouveau collègue vous adresse ce mail. Vous lui répondez.**

De : J. Foucault
À : Jérôme Lambert
Objet : RDV chez AUBERT ÉCO

Jérôme, j'ai rendez-vous dans deux heures chez Aubert Éco et je ne sais pas du tout comment y aller... Tu y vas régulièrement. Comment je fais ? Je prends l'autoroute ou tu connais un autre chemin ? Je ne vais pas avoir le temps de rentrer pour le déjeuner. Est-ce que tu connais un endroit sur place, ou pas loin, pour manger pas trop cher ?

Merci pour tes conseils !

Jean Foucault

 4 **Vous avez récemment visité une ville pour votre travail ou vos vacances. Qu'est-ce qui vous a plu dans cette nouvelle ville ? Qu'est-ce que vous avez apprécié ?**

 5 **Lors d'un salon, vous rencontrez un(e) collègue. Il est parti travailler à l'étranger. Vous échangez sur les similitudes et les différences de vos villes respectives. Vous parlez de la ville elle-même et des logements. (Le professeur joue le rôle du (de la) collègue.)**

Mon premier jour dans l'entreprise

UNITÉ 4

PRÉSENTATION DES CONTENUS

Je décris mon lieu de travail, je présente l'organigramme d'une entreprise, je comprends le règlement d'une entreprise, je découvre les différents types d'entreprises.

J'ai besoin des éléments grammaticaux suivants :
L'impératif affirmatif et négatif
il faut + infinitif
Le complément du nom

J'ai aussi besoin des outils lexicaux suivants :
Le lieu de travail
Les types d'entreprises

► Tâches, p. 118
► Phonétique, p. 123

Mon premier jour dans l'entreprise

1 La visite des locaux

C'est le premier jour de travail de Michel Verduret chez Sant&Pharm, grande entreprise de l'industrie pharmaceutique.

Louis Dubois : Bonjour Monsieur Verduret. Bienvenue chez Sant&Pharm !

Michel Verduret : Bonjour.

Louis Dubois : Voilà votre badge d'accès. Il est indispensable pour entrer dans nos locaux. Il sert aussi pour la cantine.

(...) Voir transcription p. 134

1. Écoutez le dialogue et répondez.

   a. Dans quelle entreprise travaillent Michel Verduret et Louis Dubois ?

   b. Que font Michel Verduret et Louis Dubois ?

   c. Quelle est la particularité du bureau de Michel Dubois ?

2. Proposez une légende pour chaque photo.

2 Mon premier jour

Tarek, chef de produit junior chez Labo Santé.
« Lorsque je suis arrivé chez Labo Santé, j'ai fait le tour du département avec un collègue, Julien. Nous partageons le même bureau. J'étais un peu perdu, les locaux sont très vastes et il y a beaucoup de monde. L'après-midi, j'ai travaillé deux heures avec mon responsable. Le soir, je suis parti rassuré. »

Marine, chargée d'étude marketing chez Pharma Plus.
« L'accueil a été formidable ! La journée a commencé par un petit déjeuner avec café et croissants, organisé par mes collègues ! J'ai rapidement fait la connaissance de toutes les personnes du service. À midi, j'ai déjeuné au restaurant d'entreprise avec mon responsable et le directeur du département. Nous avons parlé travail, mais pas seulement. Je me suis sentie tout de suite à l'aise. »

3. Écoutez les témoignages et répondez.

   a. Quelle est la profession de Marine ? et de Tarek ?

   b. Comment a commencé la première journée de travail d'Amélie ?

   c. Pourquoi est-ce que Tarek s'est senti un peu perdu au départ ?

Les mots pour

- Un(e) collègue
- Faire la connaissance
- Un service
- Un(e) responsable
- Un département
- Un bureau
- Un dossier

 4. Un(e) ami(e), ou votre famille, vous interroge sur votre premier jour en entreprise. Jouez la scène à deux.

3 Les 10 règles de l'entreprise

5. Lisez le texte et choisissez la bonne réponse.

a. Le premier jour, il est important de retenir le nom
- ☐ de tous ses collègues.
- ☐ de son directeur.
- ☐ de ses collègues proches.

b. Au travail, vous vous habillez
- ☐ comme vous voulez.
- ☐ comme vos collègues.
- ☐ toujours de manière stricte.

c. Vous entendez des potins :
- ☐ vous ignorez la conversation.
- ☐ vous les racontez aux autres.
- ☐ vous donnez votre avis.

d. Pour déjeuner,
- ☐ vous apportez un sandwich.
- ☐ vous déjeunez avec vos collègues.
- ☐ vous allez seul à la cantine.

Pour un bon départ en entreprise !

➜ Au début, retenez seulement le nom de vos collègues proches. Retenez aussi les postes de vos collègues.
➜ Posez des questions, mais pas trop. Soyez discret !
➜ Observez le comportement de vos collègues et adaptez-vous.
➜ Allez déjeuner avec vos collègues.
➜ Adoptez le code vestimentaire de l'entreprise : décontracté ou strict.
➜ Vouvoiement ou tutoiement : imitez vos collègues.
➜ Soyez sociable.
➜ Écoutez les conseils.
➜ Fuyez les potins.

GRAMMAIRE

L'impératif

■ L'impératif sert à donner des conseils, des ordres. Il se conjugue seulement à trois personnes : 2ᵉ personne du singulier, 1ʳᵉ et 2ᵉ personnes du pluriel. Il se forme sur le radical du présent de l'indicatif et on ajoute les terminaisons : *-e, -ons, -ez*. Le sujet n'est pas exprimé.
- *Demande ! Viens ! Dors !*
- *Prenons ! Partons ! Présentons !*
- *Repérez ! Écoutez ! Finissez !*

À la deuxième personne du singulier le « s » disparaît pour les verbes du premier groupe.

■ Certains verbes sont irréguliers à l'impératif.

Voir précis de grammaire p. 129

1 Mettez les phrases à la forme impérative.

- *Tu dois arriver à l'heure →* **Arrive** *à l'heure.*
- **a.** Le matin, vous devez saluer vos collègues.
- **b.** Nous devons être toujours de bonne humeur.
- **c.** Tu dois déjeuner à la cantine.
- **d.** Vous devez demander des conseils.
- **e.** Tu dois finir ton travail à l'heure.

1 L'organigramme et les relations hiérarchiques

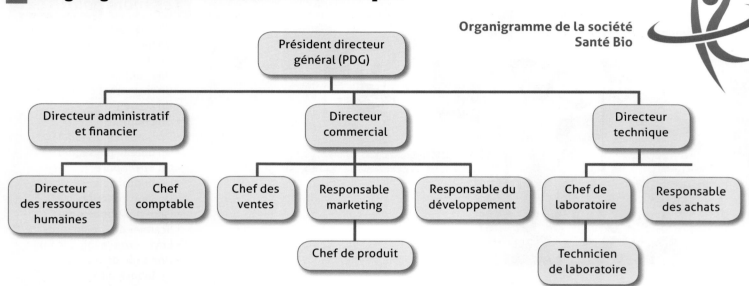

Organigramme de la société
Santé Bio

1. Observez l'organigramme et retrouvez leur poste.

- *Yves Bérard dirige le laboratoire et les achats. → C'est le directeur technique.*
- **a.** Xavier Simon dirige l'entreprise.
- **b.** Sophie Nguyen travaille sous la direction du responsable marketing.
- **c.** Marc Delfino dirige trois services.
- **d.** Lisa Henry gère la comptabilité.
- **e.** Ethan Widal participe au développement de l'entreprise.
- **f.** Louis Caron dirige le service des ressources humaines et la comptabilité.

Les mots pour

- L'organigramme
- Le président directeur général (PDG)
- Le directeur administratif et financier
- Le directeur commercial
- Le directeur technique
- Le chef comptable
- Le chef des ventes
- Le responsable du développement
- Le responsable des achats
- Le technicien de laboratoire

2 Présentation du service marketing de la société Sant&Pharm

« Bonjour et bienvenue chez Sant&Pharm au poste de technico-commercial. »

(...) Voir transcription p. 134

Les mots pour

- Le collaborateur
- Une gélule
- L'élaboration
- Une stratégie
- Une étude de marché
- Un test
- Un suivi
- Un(e) responsable hiérarchique

2. Écoutez l'enregistrement et répondez.

- **a.** Qui est le chef direct du nouveau technico-commercial ?
- **b.** Qui sont les collègues du nouveau technico-commercial ?
- **c.** Pour quels marchés travaillent les trois technico-commerciaux ?

3. Représentez l'organigramme du service marketing de Sant&Pharm.

3 Le règlement intérieur d'une entreprise

Chaque entreprise possède un règlement intérieur. Il présente les règles de l'entreprise. Elles correspondent aux droits et devoirs du salarié. Voici quelques extraits d'un règlement courant dans les entreprises francophones.

- Il faut respecter les horaires de l'entreprise. Le non-respect du temps de travail peut entraîner des sanctions.
- Une présentation correcte et soignée est exigée du personnel.
- Tout salarié doit se soumettre aux visites médicales prévues par le Code du travail.
- Toute absence non justifiée ou non autorisée constitue une faute.
- Il faut exécuter les missions en respectant les directives données.
- Il ne faut pas fumer dans les locaux de l'entreprise.
- Il ne faut pas introduire de boissons alcoolisées dans les locaux de l'entreprise.
- Il est interdit de faire des travaux personnels sur le lieu de travail.

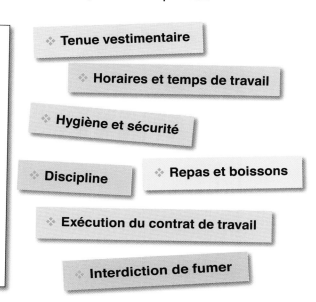

❖ **Tenue vestimentaire**

❖ **Horaires et temps de travail**

❖ **Hygiène et sécurité**

❖ **Discipline** ❖ **Repas et boissons**

❖ **Exécution du contrat de travail**

❖ **Interdiction de fumer**

4. Associez chaque extrait du règlement intérieur à la rubrique correspondante.

5. Y a-t-il des différences avec la réglementation de votre pays ? Lesquelles ?

6. Qu'est-ce qu'il ne faut pas faire dans les entreprises de votre pays ?

Les mots pour

- Le règlement intérieur
- Une règle
- Un droit
- Un devoir
- Un(e) salarié(e)
- Respecter
- Le non-respect
- Une sanction
- Une présentation
- Correcte
- Soigné(e)
- Exiger
- Se soumettre
- Une visite médicale

- Le Code du travail
- Une absence non justifiée / non autorisée
- Une faute
- Une mission
- Respecter
- Une directive
- Interdire / Une interdiction
- Un travail personnel
- Une tenue vestimentaire
- L'hygiène et la sécurité
- La discipline
- L'exécution du contrat de travail / Exécuter

GRAMMAIRE

Il faut + infinitif

■ **Falloir** est un verbe impersonnel. Il se conjugue à tous les temps mais seulement à la 3e personne du singulier. Il est suivi d'un verbe à l'infinitif.
- *Il faut respecter* le règlement.
- *Il fallait respecter* le règlement.
- *Il ne faut pas* fumer.

1 Faites des phrases selon le modèle avec les mots proposés.

- *les horaires → Il faut respecter les horaires.*
la tenue vestimentaire – le tabac – l'alcool – le retard – les missions

2 Vous avez créé une entreprise dans votre pays et vous préparez le règlement destiné au service informatique. Imaginez 5 droits et/ou 5 interdictions, en utilisant « il faut / il ne faut pas » + un verbe à l'infinitif.

Mon premier jour dans l'entreprise

1 De la petite entreprise à la multinationale

Pierre Fabre est né à Castre en 1926. Au départ, il était seulement pharmacien. Aujourd'hui, il est à la tête d'un vaste empire. Sa fortune personnelle est estimée à 800 millions d'euros !

Journaliste : Monsieur Fabre, parlez-nous de votre entreprise de produits pharmaceutiques. Comment est-elle née ?

(...) Voir transcription p. 134

Les mots pour

- Un(e) pharmacien(ne)
- Un empire
- Une fortune
- Un produit pharmaceutique
- Une expérience
- Un médicament
- Un succès
- Un laboratoire
- Un shampoing
- Une crème
- Un chiffre d'affaires
- Une douleur
- Une maladie rare
- Investir

1. Écoutez l'interview de Pierre Fabre et répondez.

a. Quel est le premier métier de Pierre Fabre ?
b. En quelle année a-t-il créé son premier laboratoire ?
c. Quel laboratoire a-t-il acheté ?
d. Quelle est l'importance de son activité à l'étranger ? Justifiez.
e. Quelles sont ses deux autres activités ?
f. Quelle est la région d'origine de Pierre Fabre ?

2 Les différentes formes de société

Les entreprises produisent et vendent des biens. Elles sont classées selon leur taille.
- **Les entreprises individuelles :** elles sont composées d'une seule personne.
- **Les très petites entreprises (TPE) :** elles comptent moins de 10 salariés. En France, 9 entreprises sur 10 sont des TPE.
- **Les petites et moyennes entreprises (PME) :** elles comptent moins de 500 salariés.
- **Les grandes entreprises** comptent plus de 500 salariés. De nombreuses grandes entreprises sont internationales. Elles représentent seulement 0,1 % des entreprises françaises, mais elles emploient un tiers des salariés.
On désigne les entreprises selon leur statut juridique : entreprise individuelle, Société à responsabilité limitée (SARL), Société anonyme (SA)…

Les mots pour

- Un bien
- Une entreprise individuelle
- Une très petite entreprise (TPE)
- Une petite et moyenne entreprise (PME)
- Une grande entreprise
- Un statut juridique
- Une société à responsabilité limitée (SARL)
- Une société anonyme (SA)

2. À votre avis, quel type d'entreprise correspond à chaque situation ? Justifiez votre choix.

a. Je suis un jeune coiffeur, avec une expérience de plusieurs années dans ce métier et maintenant, je rêve de créer mon salon de coiffure. Je n'ai pas de capital mais ma famille me soutient financièrement. Alors, c'est décidé, je me lance !
b. Ma SARL a un chiffre d'affaires en augmentation et compte aujourd'hui 1 000 salariés. Je dois agrandir mon entreprise. Je cherche des capitaux et je souhaite exporter en Europe et dans le monde.
c. Mes amis et moi, nous sommes cinq. Nous avons décidé de monter notre entreprise de produits cosmétiques bio, vendus sur Internet. Chaque associé apporte environ 10 000 euros. Nous avons déjà trouvé des locaux !

3 Différents lieux de travail

Un quartier d'affaires.

Sur le terrain.

Dans un laboratoire.

3. Observez les photos et répondez.

a. Quels métiers est-ce que l'on trouve dans un quartier d'affaires ?
b. Dans quels secteurs est-ce qu'on utilise un laboratoire ?
c. Qui se déplace sur le chantier ? Pourquoi ?

GRAMMAIRE

Le complément du nom

■ Le complément du nom permet d'enrichir le nom en donnant des informations sur l'appartenance, la matière... Il est introduit par une préposition : **à**, **de**, **en**...
- le bureau **de l'ingénieur**, **du directeur** ; une salle **de réunion**...
- une chaise **à roulettes**...
- un bureau **en bois**...
- l'envie **de travailler**...

---

1 Complétez les phrases avec la préposition qui convient.

a. Je vous présente le directeur ... ventes.
b. Vous avez un diplôme ... mathématiques.
c. C'est près de la machine .... photocopier.
d. À l'accueil, il y a des fauteuils ... cuir.
e. Elle commande une lampe ... bureau.
f. Aujourd'hui, il travaille dans la salle ... réunion.

2 Donnez des précisions sur les mots de la liste 1 avec les mots de la liste 2. Utilisez la préposition « de », « des » ou « du ».

- la production **de** médicaments
- **Liste 1 :** ~~la production~~ – le chiffre – le directeur – les droits – l'organigramme – le responsable
- **Liste 2 :** affaires – service marketing – salarié – ~~médicaments~~ – ressources humaines – l'entreprise

Mon premier jour dans l'entreprise

Bureau paysager ou bureau individuel ?

Imaginé par deux Allemands, les frères Schnelle, au milieu des années 1950, l'*open space*, ou bureau paysager, s'est d'abord développé aux États-Unis. Il arrive en Europe au milieu des années 1980. Aujourd'hui, 60 % des entreprises françaises ont choisi ce mode d'organisation. En effet, le prix du mètre carré dans les grandes villes est très élevé. Il faut donc gagner de la place. Le bureau paysager permet d'économiser 40 % d'espace au sol !

Pour les employeurs, les avantages sont évidents : gain de place et donc gain d'argent, management direct grâce à la proximité immédiate des collaborateurs et une certaine transparence.

Les avis des employés sont plus partagés. Beaucoup se plaignent du bruit et d'un manque de confidentialité. Certains se plaignent aussi de « flicage » : votre responsable peut voir à tout moment votre travail, votre écran est visible de tous.

Cependant, d'autres apprécient la convivialité et la solidarité entre les personnes travaillant dans le même espace. La hiérarchie devient accessible, moins verticale. Partagé avec des gens plaisants et tolérants, l'*open space* est un espace de travail agréable.

Les salariés travaillant dans des bureaux fermés individuels, ou partagés à deux ou trois personnes, apprécient le calme et la possibilité de se concentrer facilement et longtemps. Cependant, certains se sentent parfois à l'écart. Et en cas de mésentente avec son (sa) collègue de bureau, l'ambiance peut vite devenir insupportable.

En France, le bureau individuel est un symbole fort : c'est le signe de sa place dans la hiérarchie.

1. À votre avis, pourquoi est-ce que le travail en *open space* crée de la solidarité entre les salariés ?
2. Que pensez-vous des *open space* ?

PALMARÈS

La francophonie est en bonne place dans l'industrie pharmaceutique. Parmi les dix premiers groupes pharmaceutiques mondiaux, on trouve deux groupes suisses, Novartis à la deuxième place et Roche à la sixième place, et à la troisième place le français Sanofi-Aventis.

Source : IMS Health, 2011.

Bien installé au bureau

Il existe des normes pour les bureaux. Les salariés français doivent disposer d'un minimum de 10 m² par personne. Mais, en réalité, ils ont souvent seulement 6 ou 7 m². De même, il doit y avoir 15 salariés au maximum dans un bureau paysager. Certaines entreprises ont trouvé des solutions au manque de place. Ainsi, chez Vitra France, un fabricant suisse de mobilier, les salariés n'ont pas tous un bureau ! Certains salariés sont très souvent en déplacement. Ils n'ont donc pas besoin d'avoir leur propre bureau. Quand ils ne sont pas en déplacement, ils s'installent dans une grande pièce. Ils partagent cette pièce avec d'autres salariés. Vitra France applique le Citizen Office, le bureau citoyen. On choisit son lieu de travail.

Vitra France s'intéresse au bien-être des salariés. Ils ne doivent pas rester assis toute la journée. Vitra France a donc créé des bureaux pour travailler, ou faire des réunions, debout !

1. Que pensez-vous de l'idée de travailler debout ?

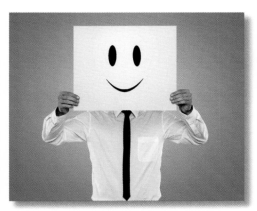

Le bonheur au travail

Le travail rend-il heureux ? 32 % de la population française considère le travail comme un élément important du bonheur. Mais les réponses sont différentes chez les ouvriers et les employés, chez les cadres ou chez les chefs d'entreprises. Pour les ouvriers et les employés, le travail apporte l'argent pour acheter des biens.

Pour les cadres et les chefs d'entreprise, le travail apporte un sentiment d'épanouissement, de réussite et de bien-être.

Pour ceux qui n'ont pas d'emploi ? Le travail est véritablement un élément du bonheur.

1. Pour vous, est-ce que le travail est source de bonheur ?

L'industrie pharmaceutique : mixité et jeunesse

En France en 2010, on comptait 57,8 % de salariés femmes dans les entreprises du médicament. Dans les autres secteurs industriels, la répartition hommes/femmes est très différente. Les hommes sont beaucoup plus nombreux : 71 % pour seulement 29 % de femmes. L'industrie pharmaceutique est jeune. L'âge moyen est de 41,4 ans et 27,9 % des salariés ont moins de 36 ans. Chaque année, 23 % des nouveaux embauchés dans ce secteur ont moins de 26 ans.

Source : leem, les entreprises du médicament.
http://www.leem.org/actu-medicament

1. Quelle est la répartition hommes/femmes dans votre secteur d'activités ?

1 **Lisez les annonces de l'agence immobilière.**
a. Un(e) de vos ami(e)s cherche un logement, vous lui décrivez ces offres.
b. Associez les annonces avec les recherches.

---

a. Paul a 25 ans, il vient de trouver son premier travail. Il a un salaire correct et n'a pas de voiture.
b. Monsieur et Madame Paillot, ont 2 enfants, bientôt 3...
c. Thomas et Clémence viennent de s'installer ensemble. Ils travaillent tous les deux et ils gagnent bien leur vie.
d. Nathan est étudiant. En plus de ses études, il a un petit travail.

Pour le prix d'un studio, offrez-vous une résidence hôtelière tout confort.
Du studio au T2
À partir de de 700 euros par mois

À louer studio 20 m²
Situé en centre ville, quartier animé, tous commerces à prox.
Loyer : 500 €/mois TTC

À vendre appt 54 m², rénové, bcp de charme, cuis. équipée, salon, SDB, 1 chambre, coin bureau, parking.
Quartier calme, métro et bus à 20 m.
180 000 euros

À vendre maison 120 m², année 2000.
5 Pièces, jardin de 300 m²
Cuisine équipée, 4 ch., 2 SDB, salon 30 m² , garage, cave.
École à proximité, 5 minutes du centre ville.
650 000 euros

2 **Écoutez le dialogue. Les phrases suivantes sont-elles vraies ou fausses ? Justifiez.**

---

a. La jeune fille va visiter un appartement.
b. La jeune fille vient de visiter un appartement.
c. L'agent immobilier propose de montrer le salon encore une fois.
d. La fenêtre du salon ne ferme pas bien.
e. La jeune fille souhaite s'installer rapidement.
f. La jeune fille trouve l'appartement lumineux.
g. « Il faut rénover l'appartement », dit l'agent immobilier.

3 **Répondez par des phrases à la forme négative.**
• *Tu viens visiter l'appartement ?*
→ *Non, je ne viens pas...*

---

a. Tu vas souvent à Paris ?
b. Est-ce qu'il y a un ascenseur ?
c. Est-ce que l'appartement est toujours à louer ?
d. Est-ce que vous avez trouvé des petites annonces ?
e. Est-ce qu'elle connaît beaucoup de monde dans sa nouvelle ville ?
f. Vois-tu encore tes anciens collègues ?

4 **Vous indiquez à un(e) amie(e) comment aller de la gare à la mairie, puis de la mairie au stade.**

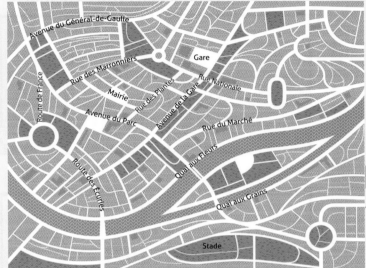

5 **Complétez les phrases suivantes avec les verbes *pouvoir, devoir, vouloir.***

a. Je vais à Londres, je ... m'absenter quelques jours.
b. Désolée, Monsieur Dupont est en réunion, il ne ... pas vous parler.
c. ...-vous prendre quelque chose en attendant ?
Madame Campos va vous recevoir.
d. Julia ... rentrer quand de voyage ?
e. Pierre ne va pas ... assister à la réunion de travail.
Il ... partir en voyage.

6 **Conjuguez les verbes à l'impératif.**

Samuel commence un nouveau travail. C'est son premier jour...
- C'est votre bureau. (*s'installer*).
- Merci !
- Après, (*venir*) en salle de réunion, au bout du couloir.
- D'accord.
- (*ne pas être*) en retard !
- Bien sûr !
- Nous avons beaucoup de travail. (*ne perdre pas / nous*)
de temps.
- D'accord. (*aller*)-y !

7 **Un(e) de vos ami(e)s cherche du travail. Donnez-lui cinq conseils en utilisant l'impératif.**

8 **Rédigez un petit règlement intérieur en utilisant les verbes *pouvoir, devoir* et *il faut* ou bien *il ne faut pas*. Aidez-vous des propositions ci-après.**
• *Dans mon entreprise, on **doit** laisser ses affaires personnelles au vestiaire.*

respecter les horaires – être en retard – passer un coup de téléphone personnel – consommer de l'alcool – fumer

9 **Lisez la présentation de Cosméto et répondez aux questions.**

a. Qui est le directeur de Cosméto ?
b. Combien de personnes y a-t-il dans l'entreprise ?
c. De quel type d'entreprise s'agit-il ?
d. Faites un organigramme de l'entreprise.

Dans notre région...

Cosméto est une petite entreprise familiale de six personnes, et bientôt sept. Monsieur Charpin est le directeur. Il travaille depuis de longues années avec Erika Biel, son assistante. Il a confiance en elle. Antoine Prudhon s'occupe des relations commerciales avec Nicolas. Une personne est chargée du contrôle de gestion, Rose Delmare. Aujourd'hui, Hiro Akimoto rejoint Cosméto. Avec sa connaissance du monde de la cosmétique, il va pouvoir aider Martin Delchambre dans ses recherches. Les produits de Cosméto sont ensuite fabriqués dans des usines à l'étranger.

10 **Associez les mots des deux colonnes.**

a. le chef • • d'affaires
b. le code • • de service
c. une pièce • • de billets
d. un bulletin • • d'identité
e. le chiffre • • du travail
f. un distributeur • • de salaire

1 Vous faites la queue au restaurant d'entreprise et vous entendez des conversations entre des collègues. Écoutez et associez chaque dialogue au sujet de conversation correspondant.

- Changement de poste
- Demande de congés acceptée
- Impression sur les congés
- Problème avec une collègue

 2 Un document sur la sécurité est affiché dans votre chambre d'hôtel. Que devez-vous faire en cas d'incendie ? Les phrases suivantes sont-elles vraies ou fausses ?

a. Un incendie se déclare, vous devez rapidement sortir de la chambre et prendre l'ascenseur.
b. Vous n'avez pas besoin de prévenir la réception.
c. Il y a un incendie, vous devez ouvrir portes et fenêtres.
d. Essayez d'éteindre l'incendie avec un verre d'eau.
e. Il y a un incendie dans le couloir, restez dans la chambre, fermez la porte et mettez un linge humide sous la porte.
f. En cas d'incendie dans votre chambre, sortez de la chambre et fermez la porte.
g. Lorsque l'alarme retentit, restez dans votre chambre et fermez la porte.
h. En cas d'incendie, allongez-vous, l'air frais est près du sol.

 3 Vous venez de commencer un nouveau travail. Vous faites une fiche en notant tous les renseignements utiles : nom de l'entreprise, votre poste, l'organigramme du service...

 4 Décrivez votre lieu de travail à un(e) amie.

 5 Lors d'un salon, vous rencontrez un(e) ancien(ne) collègue. Il travaille maintenant dans une entreprise concurrente. Vous commentez avec lui les différences entre vos entreprises et vos lieux de travail. (Le professeur joue le rôle du collègue.)

CONSIGNES DE SÉCURITÉ

En cas d'incendie dans votre chambre

Essayez d'éteindre l'incendie avec un extincteur.

Prévenez la réception de l'hôtel.

Évacuez en suivant le balisage. N'utilisez pas les ascenseurs.

Déclenchez l'alarme manuelle.

En cas d'audition du signal sonore

Les couloirs sont praticables

L'alarme retentit. Quittez la chambre en fermant bien la porte et évacuez. Suivez le balisage. N'utilisez pas les ascenseurs.

Les couloirs sont impraticables

Restez dans la chambre, fermez la porte et mettez un linge humide en bas de la porte.

Baissez-vous, l'air frais est près du sol.

Signalez votre présence à la fenêtre.

Je travaille

PRÉSENTATION DES CONTENUS

Je décris mon poste de travail, je parle de mes responsabilités, je téléphone, j'écris un mail, je prends, j'annule et
je reporte des rendez-vous, je participe à des réunions.

J'ai besoin des éléments grammaticaux suivants :

Les pronoms relatifs : *qui, que, dont, où*
Le futur proche et le futur simple
Les verbes indirects *(parler à quelqu'un...)*
Le présent progressif *(être en train de...)*

J'ai aussi besoin des outils lexicaux suivants :

Les professions
La prise de rendez-vous
La réunion

▸ **Tâche, p. 119**
▸ **Phonétique, p. 123**

5

Je travaille

1 Quelques métiers...

Le présentateur : « Bienvenue dans ce "spécial métiers". Nous avons interrogé des professionnels du secteur de l'automobile qui nous parlent de leur métier au quotidien. »

(...) Voir transcription p. 135

Les mots pour

- Le quotidien
- Un carrossier-réparateur
- Superviser
- Un devis
- Une facture
- La comptabilité
- Élaborer
- Une analyse
- Un designer industriel

- Des biens d'équipement
- Le graphisme
- Un emballage
- L'architecture commerciale
- Un cahier des charges
- Une contrainte technique
- Un ingénieur en automatismes
- Un fournisseur d'équipement
- Un sous-traitant

1. Écoutez les témoignages et répondez.

a. Citez le nom des quatre métiers présentés.
b. Quelles sont les principales tâches que Jérémy doit effectuer.
c. Que fait un chargé d'études en marketing ?
d. En quoi consiste le travail de Marion ?
e. De quelles compétences Pierre doit-il faire preuve ?
f. Associez à chaque image le témoignage qui correspond.

GRAMMAIRE

Les pronoms relatifs : *qui, que, dont, où*

■ Le pronom relatif remplace un mot ou un groupe de mots. Il introduit une proposition subordonnée :

– *qui* remplace un sujet et est suivi d'un verbe.
• *Manager est une profession qui nécessite de l'organisation.*
– *que* remplace un complément d'objet direct.
• *Digicold est l'entreprise que je dirige depuis 10 ans.*
– *où* remplace un complément de lieu ou de temps.
• *L'entreprise où je travaille est située en centre-ville.*
– *dont* remplace généralement un complément d'objet indirect ou un complément du nom.
• *Le poste dont je t'ai parlé est libre de suite.*
• *Je travaille dans le bureau dont les murs sont repeints.*

1 Complétez avec un pronom relatif.

a. Madame Delmas ? C'est la dame ... travaille au service des Ressources Humaines.
b. Crutinuts est l'entreprise ... j'ai commencé.
c. Mon responsable est un homme ... tout le monde apprécie.
d. 1999, est l'année ... j'ai terminé mes études.
e. Kamel est un ingénieur ... les qualités sont nombreuses.
f. Monsieur Thomas est un excellent comptable ... je vous recommande.
g. Je n'aime pas les personnes ... se plaignent toujours de leur travail.
h. Pour moi, une bonne entreprise, c'est une entreprise ... écoute les nouvelles idées et ... s'adapte aux changements.

2 Lire un agenda

	Lundi		mardi		mercredi		jeudi		vendredi
		8		8		8	8 h : Visite de la	8	
9 h : lecture des mails		9		9		9	délégation de Strasbourg	9	
		10	9 h 30 : Appeler Anna, prendre RV pour	10	10 h : Présentation	10		10	10 h : Vérification des
11 h : RV José – compta (bilan 2ᵉ semestre)		11	préparation projet GRETAN	11	projet FFM (salle de conférences)	11		11	factures communication avec Pierre
		12		12		12		12	
		13	13 h : Déjeuner Étienne Leroy (Euroconsult)	13		13		13	
14 h : Réunion A. Valls (au siège)		14		14		14		14	
		15	15 h : Réunion départements	15		15		15	
		16	communication et marketing. Retroplanning	16	15 h 30 : Voir avec Richard pour	16		16	
17 h : Signature contrat FMR (Félix Martinez)		17	sur les événements de	17	la commande des brochures	17	17 h : RV Directeur adjoint, bilan projet	17	
		18	la rentrée et répartition des tâches	18		18	In-control	18	
		19	19 h : Vernissage Centre	19	19 h 30 : Sport	19		19	
		20	culturel Roumain	20		20		20	20 h : Dîner chez Lucas et Angèle.

2. Regardez l'emploi du temps de Sophie Belfond puis répondez.

a. Avec quels services Sophie Belfond va-t-elle travailler cette semaine ?
b. Quels sont les horaires de travail de Sophie Belfond ?
c. Citez les activités de Sophie Belfond en dehors du travail.
d. Quand Sophie Belfond a-t-elle rendez-vous à l'extérieur ?
e. Que fait Sophie Belfond jeudi ?

3. Un apprenant joue le rôle de Sophie Belfond. Un autre l'interroge sur son emploi du temps. Jouez la scène à deux.

Les mots pour

- Un agenda
- Un rendez-vous (RV)
- Prendre un rendez-vous
- Un retroplanning
- Une présentation
- Une brochure
- Un bilan

3 Noter un rendez-vous

Amélia : Allô ?

Sophie Belfond : Allô Amélia ? C'est Sophie. Je sors à l'instant de ma réunion avec Arthur Valls au siège. Vous voulez bien mettre sur mon agenda quelques rendez-vous que nous avons fixés ?

(...) Voir transcription p. 135

4. Écoutez la conversation téléphonique entre Sophie Belfond et son assistante, puis notez dans un agenda les rendez-vous de Sophie Belfond.

1 Les différents types de réunion

1. Observez les images et répondez.

a. À votre avis, qui dirige la réunion sur le document 1 ?

b. Quelle est la particularité de la réunion du document 2 ?

c. Selon vous, quels sont les avantages de la visioconférence ?

2 Un ordre du jour

2. Lisez le document et répondez.

a. Combien de personnes participent à la réunion ?

b. Combien de temps la réunion doit-t-elle durer ?

c. Qu'est-ce qu'Anna va faire pendant la réunion ?

d. À quelle heure Benoît doit-il faire sa présentation ?

Lundi 26 novembre 2012

Réunion de service

À : Nicolas Marchand, Anna Leblanc, Benoît Bataille, Marie Dutertre, Audrey Gaillard

Ordre du jour

● 9 h 30 à 10 h 15 : Point sur les différentes actions en cours.

● 10 h 15 à 11 h 15 : Point sur l'étude marketing « Véhicule propre » (Anna Leblanc)

● 11 h 15 à 12 h 30 : Mise en place de la campagne publicitaire. (Benoît Bataille)

GRAMMAIRE

Le futur

■ **Le futur proche** permet d'exprimer une action à plus ou moins long terme : de quelques heures à plusieurs mois. Il est formé par le verbe *aller* conjugué au présent suivi d'un verbe à l'infinitif.

• *La semaine prochaine, nous **allons lancer** un nouveau projet.*

• *En janvier prochain, je **vais organiser** une réunion.*

■ Le **futur simple** est utilisé pour exprimer des projets à plus ou moins long terme (de quelques heures à quelques années). On ajoute les terminaisons du futur (*-ai, -as, -a, -ons, -ez, -ont*) à l'infinitif des verbes se terminant par la lettre « r ».

• *travailler → je travaillerai, nous travaillerons...*

• *finir → je finirai, nous finirons...*

Si le verbe se termine à l'infinitif par la lettre « e », on supprime le « e » et on ajoute les terminaisons du futur.

• *prendre → je prendrai, tu prendras, nous prendrons...*

• *connaître → je connaîtrai, tu connaîtras, nous connaîtrons...*

■ Certains verbes sont irréguliers au futur : *être (je serai), avoir (j'aurai), aller (j'irai), faire (je ferai), devoir (je devrai), pouvoir (je pourrai), vouloir (je voudrai), savoir (je saurai), venir (je viendrai).*

Voir précis de grammaire p. 129

1 Mettez les verbes au futur simple.

a. Pierre Durand est désolé, mais il ne (pouvoir) pas participer à la réunion.

b. Après mes études, je (devenir) ingénieur.

c. Notre entreprise (recruter) dix nouveaux salariés l'année prochaine.

d. Nous ne (finir) jamais ce dossier à temps.

e. Nos collègues Chinois (arriver) en début d'année prochaine.

f. Notre entreprise (avoir) un stand au prochain Salon de l'automobile.

g. Le mois prochain, je (être) le nouveau responsable d'usine.

3 En réunion

(...) Voir transcription p. 135

3. Écoutez le dialogue et répondez.

a. Combien de personnes assistent à la réunion ?
b. Qui mène la réunion ?
c. Quel projet est à l'ordre du jour ?
d. Quel problème est également abordé ?
e. À deux reprises, des personnes ne sont pas d'accord entre elles. Pourquoi ?

Savoir dire

Prendre la parole en réunion
• Vous permettez...
• Laissez-moi continuer...
• C'est à vous...
• S'il vous plaît...
• Je tiens à préciser que...
• À mon avis, ...
• Je suis tout à fait d'accord...

Les mots pour

• Une réunion
• Un objectif
• Une campagne publicitaire
• Un tour de table
• Un ordre du jour
• Une caractéristique technique
• Un impact
• Ajuster les coûts
• Le contrôle de gestion
• Le service communication

4 Le compte-rendu de réunion

Compte-rendu de la réunion du mercredi 24 avril
Refonte du site Internet

Présents : Hélène, Martin, Hakim, Laure
Absente : Zoé

→ **Ordre du jour :** définir les modifications et les ajouts à apporter au site Internet de l'entreprise.

• Lisibilité des informations : revoir le choix de certaines couleurs.
→ Proposition de nouvelles couleurs (Hakim)

• Mettre en avant les nouveautés sur la page d'accueil.
→ Travailler les titres (marketing)

• Ajout d'une FAQ et de petites annonces
→ Étude des sites d'autres entreprises (Hélène)

• Mise à jour très régulière du site.
→ Service informatique

Une prochaine réunion aura lieu le 15 mai à 15 h 30.

4. Observez le compte-rendu et répondez.

a. Quel était l'objet de la réunion ?
b. Combien de personnes étaient présentes ? Qui était absent ?
c. Citez deux décisions prises pendant la réunion ?
d. Qui doit s'occuper de la mise à jour du site ?
e. Quand aura lieu la prochaine réunion ?

Les mots pour

• Un compte-rendu
• La lisibilité
• Mettre en avant
• Une FAQ
• Une mise à jour

Ordre du jour

Mardi 25 juin 2013

À : Alexis Couturier (marketing), Antoine Brunet (communication), Camille Vidal (communication), Julie Dubost (contrôle de gestion), Mathieu Vernet (ingénieur), Frédéric Sanchez (designer)

➢ 14 h à 15 h : Présentation du nouveau véhicule utilitaire (Mathieu Vernet).

➢ 15 h à 15h 45 : Chiffres des ventes des deux roues au 1er trimestre 2013 (contrôle de gestion).

➢ 15 h 45 à 17 h : Préparation du salon de l'automobile, automne 2013 (communication).

5.a. Ci-dessus l'ordre du jour d'une réunion avec les noms et les fonctions des participants. Imaginez la réunion. Préparez les différents arguments puis jouez la scène.

b. Rédigez le compte-rendu de la réunion.

UNITÉ 5 — Je travaille

1 Au téléphone

Accueil : Société Quartz, bonjour !
Mme Satron : Bonjour, madame, je souhaite parler à Monsieur Félix, s'il vous plaît.
Accueil : Vous êtes madame ?
Mme Satron : Madame Satron, de la société Dulac.
(...) Voir transcription p. 136

Les mots pour

- Parler à
- Disponible
- Laisser un message
- Rappeler
- Les coordonnées
- Épeler
- Underscore
- Arobase
- Tiret

1. Écoutez le dialogue et répondez.

a. Où Madame Satron travaille-t-elle ?
b. Pourquoi Monsieur Félix ne répond-il pas au téléphone ?
c. De quoi Madame Satron veut-elle parler à Monsieur Félix ?
d. Quel est le numéro de téléphone de Madame Satron ?

2. À deux, imaginez une conversation téléphonique. Une personne en appelle une autre pour prendre un rendez-vous.

2 La boîte vocale

Message boîte vocale : Vous êtes sur le répondeur de la société ViaAuto, composants pour l'automobile. Notre accueil téléphonique est à votre disposition du lundi au vendredi de 9 h à 12 h et de 13 h 30 à 17 h 30.
(...) Voir transcription p. 136

Les mots pour

- La boîte vocale
- Le répondeur
- Un accueil téléphonique
- Contacter
- Joindre un opérateur
- Passer une commande
- Un code client
- Taper sur la touche dièse / étoile
- Composer

3.a. Écoutez le message puis donnez les informations suivantes.
Nom de l'entreprise – Secteur d'activité – Horaire d'ouverture de l'accueil téléphonique

b. Que faut-il faire pour...

- obtenir des renseignements sur les produits ;
- pour passer une commande ;
- pour connaître la gamme outils ;
- pour parler à quelqu'un du service technique ;
- pour joindre un opérateur ;
- pour laisser un message ;
- pour changer votre message ?

GRAMMAIRE

Les verbes indirects

■ Certains verbes se construisent avec la préposition *à*.

- Il **écrit à** son collègue.
- Tu **parles à** l'assistante.
- Nous **téléphonons à** nos collègues marocains.
- Vous **pensez à** votre travail en permanence.

4. Enregistrez un message pour le répondeur de votre entreprise ou de votre école. Vous devez saluer, vous présenter, donner des instructions, remercier et prendre congé.

3 Écrire un mail

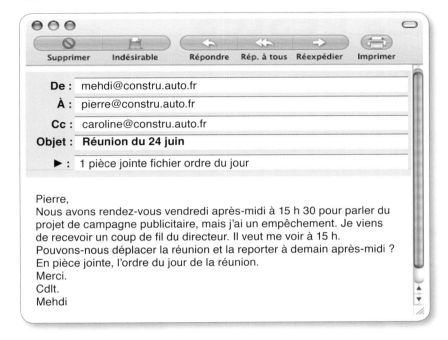

De : mehdi@constru.auto.fr
À : pierre@constru.auto.fr
Cc : caroline@constru.auto.fr
Objet : **Réunion du 24 juin**
▶ : 1 pièce jointe fichier ordre du jour

Supprimer Indésirable Répondre Rép. à tous Réexpédier Imprimer

Pierre,
Nous avons rendez-vous vendredi après-midi à 15 h 30 pour parler du projet de campagne publicitaire, mais j'ai un empêchement. Je viens de recevoir un coup de fil du directeur. Il veut me voir à 15 h.
Pouvons-nous déplacer la réunion et la reporter à demain après-midi ?
En pièce jointe, l'ordre du jour de la réunion.
Merci.
Cdlt.
Mehdi

Savoir dire

Les salutations
• Bonjour / Bonjour Paul / Paul
• Madame, Monsieur / Madame / Monsieur
• À demain / À bientôt
• Bonne journée
• Cordialement / Cdlt
• Bien à vous / Bien à toi
• Sincères salutations / Meilleures salutations
• Recevez mes salutations les meilleures

Les mots pour

• Un empêchement
• Un coup de fil
• Reporter
• Cordialement

> Quand on a oublié une pièce jointe, on la renvoie ensuite en écrivant « C'est mieux avec la pièce jointe ! ».

5. Lisez le mail et répondez.
a. Qui est le destinataire du mail de Mehdi ?
b. Qui est en copie du mail ?
c. Que contient la pièce jointe ?
d. Pourquoi est-ce que Mehdi décide d'annuler la réunion ?
e. Qu'est-ce que Mehdi propose à Pierre ?
f. Quelle formule termine le mail de Mehdi ?

6. Rédigez le mail de réponse envoyé par Pierre à Mehdi. Vous avez le choix d'accepter la date proposée par Mehdi ou de la refuser.

7. Observez l'encadré « Savoir dire ». Quelles expressions sont utilisées pour commencer un mail ? Quelles expressions sont utilisées pour terminer un mail ? Classez les expressions selon le destinataire : supérieur hiérarchique, collègue de même statut, collègue ami.

Un écran

Un clavier

Une imprimante

Une souris

GRAMMAIRE

Le présent progressif

■ Le présent progressif est utilisé pour des actions qui se réalisent au moment où on parle, au moment où on écrit. Il se construit avec le verbe *être* + **en train de** + verbe à l'infinitif.
• *Ils **sont en train de prendre** une décision importante.*
• *Le directeur **est en train de discuter**.*

1 Mettez le verbe au présent progressif.

a. Mehdi n'est pas encore rentré. Il (travailler).
b. Je (finir) le compte-rendu de la réunion.
c. Nous (réfléchir) à notre prochaine campagne publicitaire.
d. Toute l'équipe (fêter) la signature du contrat.
e. Le responsable (négocier) un contrat.

Comprendre les gestes de ses collègues

Après une réunion d'une heure et demie, vous aurez retenu seulement 7 % des mots qui ont été prononcés... En revanche, vous vous souviendrez de 53 % des gestes de vos interlocuteurs !

La gestuelle est culturelle. Dans certains pays, on s'approche de très près de son interlocuteur, on peut même aller jusqu'à le toucher. Dans d'autres cultures, cette attitude sera ressenti comme une agression, un manque de respect. En entreprise, la gestuelle a des codes. Des chercheurs ont essayé de décrypter nos gestes et nos attitudes dans le milieu professionnel.

Ce geste permet de créer une bulle autour de soi, de s'isoler des autres, surtout quand on travaille dans un *open space*.

Votre interlocuteur est mal à l'aise. Il n'a peut-être pas compris ce que vous attendiez de lui ou il n'est pas d'accord avec vous et n'ose pas le dire.

Votre interlocuteur doute de vos propos. Il est dubitatif.

En intervenant en public dans cette position, vous montrez une grande confiance en vous. Vous attirez l'attention vers vous.

1. Citez des gestes que vous avez remarqués chez vos collègues ?
2. Est-ce que, selon vous, certains gestes sont spécifiques à votre pays ? Lesquels ?

L'e-mail : le mal des entreprises modernes

56 % des salariés passent plus de 2 heures par jour pour gérer leurs mails. 38 % des salariés reçoivent plus de 100 mails (ou courriels) par jour. Les salariés consultent leur boîte mails en moyenne toutes les heures, mais certains le font toutes les 5 minutes !

Un usager professionnel reçoit chaque jour 72 mails. Sur une journée de travail de 10 heures, cela fait plus de 7 mails par heure, soit un e-mail reçu toutes les dix minutes. Les smartphones et les tablettes augmentent ce phénomène. Maintenant, les e-mails nous suivent partout, même en vacances ! Ces nouveaux outils brouillent la frontière entre vie professionnelle et vie privée. L'e-mail serait-il devenu une dépendance professionnelle ?

Source : *Observatoire de la responsabilité sociale des entreprises (ORSE)*, 2011 et *Huffington Post*, 2013.

La réunionite

En France, les salariés se plaignent de passer trop de temps dans des réunions qui s'éternisent et ne sont pas toujours utiles. C'est ce que l'on appelle la réunionite : ce terme, créé avec un suffixe du domaine médical, suggère que ce phénomène relève de la maladie. Les cadres français passent un tiers de leur temps en réunion ! En Suisse aussi, on estime que près de 40 % du temps destiné à des réunions est inutile.
Les Anglo-Saxons, eux, ne tolèrent pas que les réunions commencent en retard. Ils exigent toujours un ordre du jour précis, préparent leur réunion avant et les terminent avec des décisions prises. Ils appliquent aussi le « scrum » (terme emprunté au rugby qui signifie « mêlée ») : il s'agit de réunions de 10 minutes où les participants restent debout !

1.Comparez les réunions (fréquence et déroulement) entre votre pays et la France.
2. Proposez des remèdes à la réunionite.

Au travail !

◆ **Résumé** : À l'occasion d'une réunion madame Sauffet présente Mehdi à Sabrina.

◆ **Objectifs**
• L'organigramme de l'entreprise.
• Décrire son poste et ses responsabilités.
• Téléphoner et envoyer des mails.
• Participer à des réunions.

→ **Cahier d'activités**

1. Combien de mails professionnels reçoit-on par jour ?
2. Quelles sont les conséquences de la surcharge de courriels ?
3. Comment gérez-vous la réception de vos mails ?

1 **Vous remplacez votre collègue absent(e) à une réunion de service. Vous êtes chargé de faire le compte-rendu. Écoutez l'enregistrement et complétez la fiche.**

● Réunion du ... / ... / ...

● Présents :
□ Directeur
□ Responsable de la communication
□ Comptable
□ Responsable des ventes

● À faire pour mercredi :
Documents à transmettre à la Direction : ....
Personne chargée de faire le suivi : ....
Date de la prochaine réunion de travail : ....

2 **Lisez le mail et répondez.**

a. Que va-t-il se passer entre le 18 et le 22 novembre ?
b. Qui est le destinataire de cette note de service ?
c. Où se trouve normalement le bureau de la direction ?
d. Où vont se situer les services financiers entre les 18 et 22 novembre ?
e. Quand les bureaux retrouveront-ils leur emplacement habituel ?

De : Direction
À : Tout le personnel Interfex
Objet : Note de service Dir/49/13

Note de service Dir/49/13

Pendant la semaine du 18 au 22 novembre, nous allons effectuer des travaux au 3e étage. Ces travaux concernent les bureaux de la direction (directrice et assistante) ainsi que les bureaux du service financier. La directrice et son assistante occuperont pendant cette période le bureau 204, situé au 2e étage, et habituellement réservé pour les séances de formation interne. Les services financiers s'installeront dans le bureau des Ressources Humaines (bureau 107, au 1er étage) où un espace a été aménagé à cet effet.

La fin des travaux est prévue pour le lundi 25 novembre.

Je vous remercie vivement pour votre compréhension et votre collaboration.

H. P.

3 **Hier soir, vous avez oublié dans une salle de réunion une clé USB. Vous adressez un mail à toute l'entreprise pour savoir si quelqu'un l'a trouvée. Vous précisez à qui et où remettre la clé USB.**

5 **Vous souhaitez prendre deux jours de congé pour des raisons personnelles. Vous allez voir votre supérieur et vous lui expliquez comment vous comptez récupérer le travail, car vous êtes dans une période d'activité chargée. (Le professeur joue le rôle de votre supérieur.)**

4 **Parlez d'une tâche que vous n'aimez pas particulièrement dans votre travail actuel, et expliquez pourquoi.**

Ma vie dans mon entreprise

UNITÉ 6

▶ Tâche, p. 119
▶ Phonétique, p. 123

PRÉSENTATION DES CONTENUS

Je découvre les valeurs de l'entreprise, je compare les conditions de travail, je découvre le comité d'entreprise, je résous des conflits.

J'ai besoin des éléments grammaticaux suivants :
L'emploi du pronom « *on* »
La comparaison
Les pronoms compléments

J'ai aussi besoin des outils lexicaux suivants :
Le travail en équipe
Les valeurs
Les conditions de travail
Les pots entre collègues et l'invitation

Ma vie dans mon entreprise

1 Le travail en équipe

Pendant la pause déjeuner...

Alba Torrès : Alors tu te plais ici Maxime ?

Maxime Chen : Oui Alba, beaucoup. **(...) Voir transcription p. 136**

1. Écoutez le dialogue et répondez.

a. Pourquoi Maxime Chen est-il satisfait par son travail ?

b. Citez une valeur de l'entreprise dans laquelle travaillent Alba et Maxime.

c. D'après Alba, quelles sont les qualités les plus importantes chez ses collaborateurs ?

d. Pourquoi Alba parle-t-elle de diversité ?

Les mots pour

- Un bon esprit
- Le travail en équipe / Le travail individuel
- Motivant(e)
- La solidarité
- L'entraide
- Les valeurs
- Les handicapés
- Intégrer
- Compétent(e)
- Un privilège
- La diversité
- Un atout

2 Les valeurs de l'entreprise

www.hyper2000/valeurs.html

Politique RH | Nos métiers | Offres d'emploi | Actualités | Contact

L'esprit d'équipe : c'est Hyper 2000
Rejoignez le leader des hypermarchés !

Nos valeurs

→ **Respect**
Tous les salariés sont considérés de la même façon.

→ **Engagement**
Privilégier le dialogue et l'échange.

→ **Environnement**
Respecter l'environnement pour créer du bien-être.

→ **Handicap**
L'insertion professionnelle des personnes handicapées : une priorité.

→ **Proximité**
L'aménagement du lieu de travail et une meilleure accessibilité pour les clients.

Hyper 2000 et la RSE

→ *La responsabilité sociale des entreprises désigne l'intégration des préoccupations sociales et écologiques des entreprises à leurs activités économiques et à leurs relations avec les salariés, les actionnaires, les fournisseurs, les consommateurs.*

 J'aime

☞ Télécharger notre **Charte éthique**

Rejoignez nos équipes

Témoignages de salariés

Celia, chef de rayon

Tarik, manager

Baptiste, logisticien

Hyper 2000 s'engage pour la diversité.

Les mots pour

- L'esprit d'équipe
- Le respect
- L'engagement
- L'environnement
- L'insertion
- La proximité
- La RSE (responsabilité sociale des entreprises)
- L'intégration
- Les actionnaires
- Les fournisseurs
- Les consommateurs
- Une charte éthique
- Un chef de rayon
- Un logisticien

2. Observez la page Internet et répondez.

a. À qui s'adresse ce document ?

b. Qu'est-ce que la RSE ?

c. Quelles sont les valeurs d'hyper 2000 ?

d. Qu'est-ce qui est mis en valeur dans ce document ?

3 Le CV anonyme

« ... Et maintenant, notre bulletin consacré au travail. Suite à un rapport de Pôle emploi, on ne prévoit pas de rendre obligatoire le CV anonyme. On voulait obliger les entreprises de plus de 50 salariés à mettre en place l'utilisation du CV anonyme. Sur ce CV, on supprime l'état civil (le nom, l'âge et le sexe) dans le but de favoriser l'égalité des chances et d'éviter les discriminations lors des recrutements. Mais après un essai, on s'est aperçu que les résultats sont mitigés. Cependant dans beaucoup d'entreprises, on continue à utiliser cette modalité de CV, et avec succès ! Nous passons maintenant à notre flash économie... »

3. Écoutez et répondez.

a. Qu'est-ce que le CV anonyme ?
b. Quel est son but ?
c. Quels sont, selon vous, les points positifs de ce CV ?
d. Pourquoi, selon vous, n'est-il pas obligatoire ?

> ### Les mots pour
>
> • Un CV anonyme
> • Un état civil
> • Favoriser
> • L'égalité des chances
> • Une discrimination
> • Mitigé
> • Une modalité

GRAMMAIRE

L'emploi du pronom *on*

◼ *On* peut désigner une ou plusieurs personnes indéterminées.
  • *On frappe à la porte.*

◼ À l'oral *on* désigne *nous*.
  • *On commence la réunion dans 10 minutes.*

◼ Dans les dictons, les proverbes et pour les vérités générales, *on* désigne tout le monde.
  • *En France, on travaille 35 heures par semaine.*

1 Remplacez « on » par un autre sujet. Modifiez la phrase si nécessaire.

a. Dans notre hypermarché, on a installé un système vocal destiné aux non-voyants.
b. J'attends un coup de fil urgent. On m'a téléphoné ?
c. On dit que votre Directeur collabore pour une association du quartier.
d. Au magasin, on n'a pas le temps de s'ennuyer.
e. Il y a quelques années, on ne pensait pas autant à l'accessibilité des lieux publics.
f. Les jeunes d'aujourd'hui sont catégoriques : « On est de plus en plus sensibilisés aux problèmes que rencontrent les personnes handicapées. »

---

4 La diversité

4. Lisez la phrase, observez les images et répondez.

a. Lisez le slogan proposé par une grande marque de restauration rapide. À qui s'adresse-t-il ?
b. Comment comprenez-vous le slogan ?
c. Selon vous ces trois personnes illustrent-elles bien le slogan ? Justifiez.

« Venez comme vous êtes ».

6
UNITÉ

Ma vie dans mon entreprise

1 Comparer les conditions de travail

Chaque semaine, je travaille environ 40 heures. J'ai moins de jours de congés par an que les Français. En Allemagne, les journées de travail se finissent plus tôt qu'en France, vers 16 heures. C'est agréable ! Mais nous commençons aussi plus tôt. Avec les congés payés et les jours fériés, nous avons 39 jours de congés par an.

Je suis salariée dans une grande entreprise. Nous avons tous cinq semaines de congés payés. Certains travaillent 35 heures par semaine. Moi, je travaille 39 heures par semaine, j'ai donc des jours de congés supplémentaires, les RTT. J'ai plus de vacances que mon mari. Il est médecin et ne peut pas s'absenter souvent. Je commence le matin à 9 heures. Entre 13 heures et 14 heures, je m'arrête pour déjeuner. Et le soir, en principe, je pars à 18 heures. Mais j'ai beaucoup de travail, alors je quitte rarement mon bureau avant 19 heures !

Depuis trois ans, je travaille en Espagne. La durée hebdomadaire du travail est de 40 heures. Dans mon entreprise, nous n'avons pas les mêmes horaires en été et en hiver. Comme il fait très chaud l'été, nous travaillons moins tard qu'en hiver. Nous ne prenons pas de pause pour le déjeuner et nous finissons le travail vers 15 heures. Dans certaines régions, il y a plus de jours fériés par an que dans d'autres régions. En moyenne, nous avons 10 jours fériés par an.

J'habite et je travaille en Suède. La Suède est un des pays d'Europe qui a les horaires les plus souples. Dans la plupart des entreprises, on peut choisir ses heures de travail entre 7 heures du matin et 8 heures du soir. Dans les entreprises suédoises, il y a presque autant de femmes que d'hommes. La parité est assez bien respectée.

1. Écoutez les témoignages et répondez.

a. Quelle est la durée hebdomadaire du travail dans chacun des pays ? Faites des comparaisons.
b. Pourquoi la Française a-t-elle des RTT ?
c. Quelle est la particularité des horaires de travail en Suède ?
d. Pourquoi, en Espagne, on peut finir de travailler plus tôt en été ?

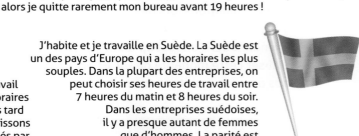

2.a. Dans votre pays (dans votre entreprise), quels sont les horaires de travail, le nombre de jours de congés… ?

b. Chacun choisit un pays (le sien ou un des pays présentés dans les témoignages). Par deux, discutez des conditions de travail. Faites des comparaisons.

GRAMMAIRE

La comparaison

■ Pour comparer, on utilise *plus* (+), *aussi* (=) ou *moins* (-) devant un adjectif ou un adverbe et on ajoute *que* devant le terme sur lequel porte la comparaison.
- *Jeanne est **plus** travailleuse **que** moi.*
- *Il est **moins** fatigué **qu'**hier.*
- *Nadia est **aussi** sérieuse **que** son frère.*

■ Avec un verbe ou un nom, on utilise « *plus/plus de… que* », « *autant/autant de… que* » ou « *moins/moins de… que* ».
- *Patrick gagne **plus que** son collègue.*
- *Il a **autant de** clients **que** nous.*

■ La comparaison avec *comme*.
- *Adrien est **comme** son père.*
- ***Comme** lui, il aime son travail.*

Les mots pour

- Les conditions de travail
- S'absenter
- Un jour férié
- La parité
- Respecter
- La durée hebdomadaire
- En moyenne

1 Complétez les phrases avec un comparatif.

a. En Allemagne, on travaille … en Espagne. (=)
b. Il a … de jours de congés … son ami. (+)
c. Vous êtes … motivés … vos collègues du marketing. (–)
d. Tu termines ton travail … tard en été … en hiver. (–)
e. Le bureau du directeur est … grand … le mien ! (+)

2 Le comité d'entreprise ❶

3. Observez le document 1 et répondez.

a. Qu'est-ce qui est proposé dans cette offre ?

b. Quelle est la commission qui propose cette offre ?
À votre avis, à quoi sert cette commission ?

c. Quel est l'intérêt de ces offres ?

La commission « Loisirs et Culture » du Comité d'entreprise vous propose des places à tarif réduit pour :

❋ l'exposition **Salvador Dali**, au centre Georges Pompidou, Paris
du 21 novembre 2012 au 25 mars 2013
Billet coupe-file : 6 € (au lieu de 12 €)

❋ **Carmen** de Georges Bizet, Opéra Bastille, Paris,
le vendredi 14 juin et le samedi 15 juin, à 20 h
70 euros (1re catégorie)
35 euros (2e catégorie)

2 places maxi par salarié pour chaque manifestation.

✁ -

BULLETIN D'INSCRIPTION
(à retourner pour le 15 janvier 2013 au plus tard)

NOM du salarié : ....

Prénom : ....

Téléphone (bureau et portable) : ....

Manifestation choisie : ....

Date : ....

Nombre de places : ....

Règlement : .... personne x .... € = ... €

LOGEMENT
**Un appartement de type F3,
réservé aux salariés de Distri Pro
est proposé en location.**

Il est situé :
4 rue de Vaugirard
92130 ISSY-LES-MOULINEAUX
1er étage

▶ **Surface habitable :** 63 m²

▶ **Loyer et charges :**
  * loyer de base   515 €
  * provisions charges   167,08 € ➡ **total : 682,08 €**

❖ **Dépôt de garantie :** 515 €

✓ Accessibilité du logement soumis à des conditions de revenus minimales et maximales.

Les mots pour

- La commission
- Un loisir
- La culture
- Le comité d'entreprise (CE)
- Un tarif réduit

- Un billet coupe-file
- Un bulletin d'inscription
- Une manifestation
- Une surface habitable
- L'accessibilité
- Minimal(e) / Maximal(e)

❷

4. Observez le document 2 et répondez.

a. Qu'est-ce qui est proposé aux salariés de l'entreprise Distri Pro ?

b. Est-ce qu'il y a des conditions pour profiter de l'offre ? Si oui, lesquelles ?

c. Quel est l'intérêt pour le salarié d'une offre comme celle-ci ?

3 Un pot de départ

Femme 1 : Bonjour, je te laisse l'enveloppe. C'est pour le cadeau de Sam. Tu mets ce que tu veux.

Femme 2 : Très bien, merci.

Femme 1 : Ensuite, tu la fais tourner dans les autres bureaux.

Le jour du pot.

Homme 1 : Alors qu'est-ce que vous avez choisi comme cadeau ?

(...) **Voir transcription p. 136**

5. Écoutez le dialogue et répondez.

a. Pourquoi ces personnes sont-elles réunies ?

b. Où sont-elles ?

c. Quels sont les services cités ?

d. Selon vous, quel est le moment de la journée ?

e. Pourquoi la jeune femme donne-t-elle une enveloppe à sa collègue ?

 6. Rédigez un mail pour inviter vos collègues à un pot avant votre départ.

UNITÉ 6 — Ma vie dans mon entreprise

1 Le conflit

Patrice Béquin : Ah, Olivier, justement, je voulais te parler.

Olivier Pena : Bien sûr. C'est à quel sujet ?

Patrice Béquin : C'est un peu délicat... Tu sais, c'est avec Thomas Le Bosc, le nouveau responsable du secteur...

Olivier Pena : Tu as des problèmes avec lui ? Ça se passe mal ?

Patrice Béquin : Disons qu'il y a quelques tensions...

Olivier Pena : Je sais que tu t'entendais bien avec son prédécesseur. Tu dois apprendre à le connaître. Ça ne se fait pas tout seul !

Patrice Béquin : Je sais bien, mais il est très distant. Il ne vient jamais me voir et puis surtout, il refuse systématiquement mes idées. J'en ai assez.

Olivier Pena : Je crois qu'il est plutôt réservé, ce n'est pas pareil. Il refuse vraiment toutes tes suggestions ? Tu ne te fais pas un peu des idées ?

Patrice Béquin : J'en suis sûr ! C'est même pire, il s'approprie mes idées. C'est intolérable !

Olivier Pena : Ne t'énerve pas comme ça ! Tu as un exemple ?

Patrice Béquin : Ah oui ! Pas plus tard qu'hier, j'ai entendu le directeur qui parlait avec lui. Il le félicitait pour l'opération commerciale du mois dernier. Mais j'ai tout fait, moi !

Olivier Pena : Eh bien, tu n'as peut-être pas entendu toute leur conversation... Le directeur m'a parlé à moi aussi de cette campagne. Il est très satisfait de ton travail. Il sait que l'idée vient de toi et pas de Thomas.

Patrice Béquin : Vraiment ?

Olivier Pena : Il ne faut pas laisser un malentendu s'installer. Tu dois résoudre les problèmes, sinon cela crée des conflits inutiles.

Patrice Béquin : Tu as raison. J'ai bien fait de te parler ! Maintenant je vais demander un rendez-vous à Thomas. Nous devons apprendre à nous connaître pour bien travailler ensemble.

1. Écoutez le dialogue et répondez.

a. Pourquoi est-ce que Patrice veut parler à Olivier ?
b. Qui est Thomas Le Bosc ?
c. Qu'est-ce que Patrice reproche à Thomas ?
d. Quels conseils Olivier donne-t-il à Patrice ?
e. Que décide Patrice à la fin du dialogue ?

2. À deux, jouez la scène suivante. Marie est cadre dans une entreprise depuis plus de dix ans, Gilles aussi. Mais Gilles est mieux payé que Marie. Elle en parle à un(une) collègue proche.

3. Observez la photo et faites des hypothèses sur la raison du conflit entre les deux personnages. Jouez la scène à deux.

Les mots pour

- Le conflit
- La tension
- Le prédécesseur
- Distant(e)
- Être réservé(e)
- Se faire des idées
- S'approprier
- Intolérable
- Une opération commerciale
- Ne t'énerve pas
- Féliciter
- Être satisfait(e)
- Un malentendu
- Résoudre un problème

Le saviez-vous ?

77 % des Français disent avoir déjà vécu une situation conflictuelle sur leur lieu de travail.

Source : Idecq.

2 Un coach dans l'entreprise

Une nouvelle profession est apparue il y a déjà quelques années : le coach en entreprise. Le coach doit résoudre des problèmes dans l'entreprise : par exemple la cohésion des employés. Pour cela, il commence par les observer. Ensuite, il fait participer les salariés à des jeux de rôle. Il leur fait aussi pratiquer des activités inhabituelles dans le monde du travail, par exemple la spéléologie*. Les employés se retrouvent dans un environnement qu'ils ne connaissent pas. Pour se déplacer dans l'obscurité, ils doivent s'entraider, se faire confiance.

Autre exemple : le cours de cuisine. Une équipe doit préparer un repas. Elle doit utiliser certains aliments et respecter un budget. Le coach l'observe. En général, il ne lui fait pas de commentaire pendant l'atelier. Il s'intéresse à l'attitude de chaque participant, à la manière dont le groupe s'organise.

Exploration d'une grotte.

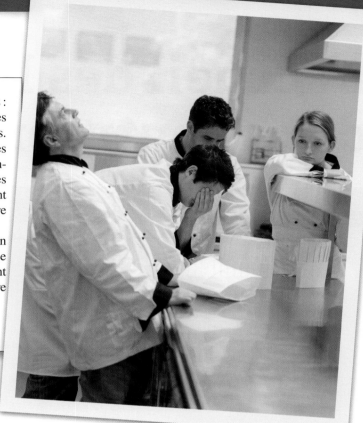

4. Lisez l'article et répondez.

a. Quelle est la mission du coach en entreprise ?
b. Citez une activité que le coach fait pratiquer aux employés.
c. Que fait le coach pendant que les employés pratiquent leur activité ?
d. À quoi sert un coach en entreprise ?

 5. Regardez la photo d'un cours de cuisine avec des employés d'une entreprise. Essayez d'interpréter les attitudes de chacun en imaginant leur relation dans l'entreprise, puis jouez la scène.

Les mots pour

- Le coach en entreprise
- La cohésion
- Le jeu de rôle
- S'entraider
- Faire confiance
- Respecter
- Un commentaire
- Une attitude

GRAMMAIRE

Les pronoms compléments

■ *le, la, les* remplace un COD.
- *Le coach observe les employés.*
  → *Il les observe.*

■ *lui, leur* remplace un COI.
- *Le coach organise des activités pour les salariés.*
  → *Il leur organise des activités.*

■ *Y* remplace un complément introduit par « à » (sauf nom de personne).
- *Il assiste aux réunions.* → *Il y assiste.*

1 Répondez aux questions.

- *J'annule le rendez-vous de cet après-midi ? – Oui, annulez-le.*
a. Je réserve la table de la dernière fois ? Oui, tu...
b. Je téléphone au coach maintenant ? Non, vous...
c. Je commande de nouvelles cartes de visite ? Oui, vous...
d. Tu proposes à la comptabilité d'assister à la réunion ? Non, je...
e. Elle expliquera à Monsieur Risart comment arriver ? Oui, elle...
f. Je vais au salon la semaine prochaine ? Oui, tu...

2 À deux. Vous posez des questions sur les tâches propres au métier de votre interlocuteur. Il vous répond.

- *Tu prends toi-même tes rendez-vous ?* → *Oui, je les prends moi-même.*

L'accueil des handicapés dans l'entreprise

« Dans la boîte », c'est le festival du film d'entreprise qui récompense les meilleurs films sur l'intégration de personnes handicapées au sein d'une entreprise. Il permet aux DRH, aux responsables de Mission handicap et aux collaborateurs de sensibiliser un plus large public. Les quatre films parmi dix-neuf, présentés ici, concourent pour le prix qui sera remis ce soir. Hangagés* a suivi dans leur quotidien des collaborateurs en situation de handicap au sein de quatre des entreprises du réseau. Première intervenante : Anne, agent de réservation hôtels, qui admet qu'en raison d'une maladie affectant son nerf auditif, l'environnement bruyant la fatigue. Lorsque la voix off lui fait remarquer qu'elle aurait pu choisir un poste plus compatible avec son état de santé, la réaction est instantanée : « Oui, mais faire un métier qui ne nous plaît pas, ce n'est pas intéressant ! »

Direct Matin, n° 1179, 12 novembre 2012.

* Hangagés est un réseau d'entreprises dont l'objectif est de mieux recruter et intégrer des personnes en situation de handicap. Hangagés est un jeu de mots avec handicapé et engagé.

1. « Dans la boîte », qu'est-ce que c'est ?
2. Comment Anne justifie-t-elle le choix de son métier ? Comprenez-vous ses raisons ?
3. Quel est votre avis sur ce festival ?

LA VIE EN ENTREPRISE

Selon une étude menée par Bruneau et TNS Sofres, 79 % des français se sentent bien là où ils travaillent. 84 % des français estiment d'ailleurs qu'il y a une bonne ambiance dans leur entreprise ; 68 % pensent même qu'elle est excellente ! Pour 62 % des français, leurs collègues sont motivés et contents d'être là. 60 % affirment s'être fait de véritables amis au travail.

D'après lefigaro.fr, février 2012.

1. Et vous que répondriez-vous à ces différentes questions ?

1. « 80% des handicapés ne sont pas visibles » : expliquez.
2. D'après l'affiche, quels sont les différents types de handicaps ?
3. Que pensez-vous de l'accueil des handicapés dans l'entreprise ?
4. Proposez au moins une mesure pour favoriser l'accueil des handicapés dans l'entreprise ?

Des services pour les salariés

Attirer, motiver, fidéliser des collaborateurs, les rendre plus disponibles et performants : la mission n'est pas nouvelle pour les directeurs de ressources humaines et les dirigeants d'entreprise... Et pourtant. Dans notre société où harmonie, équilibre de vie, bien-être sont érigés en valeurs, l'entreprise ne peut être à l'écart de ces préoccupations pour sa propre stratégie. Et d'ailleurs, pour attirer de jeunes collaborateurs, les entreprises auraient parfois intérêt à investir dans des services

*qui faciliteraient la vie de leurs salariés sur le long terme : crèche, salles de sport, de relaxation... plutôt que dans un système sophistiqué de primes. [...]
Utiliser des services à la personne sur le lieu de travail est une véritable forme de management. Elle engage le salarié dans la réussite de l'entreprise, puisqu'elle lui donne les moyens de faciliter sa vie quotidienne et le soulage de certaines contraintes personnelles. Et d'une certaine manière, elle engage l'entreprise dans la vie privée de son salarié. Alors, peut-être y a-t-il là un paradoxe ? À vouloir plus que jamais séparer vie professionnelle et vie personnelle, on en arrive, pour faciliter la première, à s'immiscer dans la deuxième et, finalement, la frontière entre les deux mondes reste bien ténue... Mais, en fait, là aussi, tout est question d'équilibre.*

Guy Can in *Bretagne économique*, n° 175, oct.-nov. 2006

1. Citez les services proposés aux salariés qui sont évoqués dans le texte.
2. Votre entreprise propose-t-elle des services ? Quels services vous manquent ?

La pause déjeuner

En France, la pause déjeuner se réduit. Il y a vingt ans, les salariés s'arrêtaient pour le déjeuner au moins 1 h 30. Aujourd'hui, ils consacrent, en moyenne, seulement 22 minutes à cette coupure. 38 % des salariés déjeunent avec leur équipe et 27 % déjeunent seuls dans leur bureau.

D'après lefigaro.fr, février 2012.

1. Dans votre pays, quelle est, en général, la durée de la pause déjeuner ? Où déjeune-t-on ?

Pause café

▶ **Résumé** : Mehdi retrouve David près de la machine à café. Ils discutent de la promotion de Mehdi et des nouveaux arrivés dans leur entreprise.

▶ **Objectifs**
• Connaître la culture (valeurs) de mon entreprise.
• Participer à des pots, déjeuner avec les collègues.
• Comparer les conditions de travail.
• Résoudre des conflits.

→ **Cahier d'activités**

5 & 6 UNITÉS — Bilan

1 Complétez les phrases avec *qui, que, dont, où*.

a. L'entreprise … j'ai fait mon premier stage, vient de fermer.
b. Paul Dumas est un comptable … est très compétent.
c. 1999, c'est l'année … j'ai fini mes études.
d. Le document … vous m'avez donné une copie est très intéressant.
e. C'est ma femme … m'a offert la cravate … je porte aujourd'hui.
f. L'e-mail … je lui envoie est très important.
g. Le client … nous recevons aujourd'hui vient des États-Unis.
h. Jean Fréo, … travaille au service technique, vient d'annoncer sa démission.
i. Le quartier … vous habitez est très animé.
j. Rayon X, est une entreprise … j'ai déjà postulé plusieurs fois.
k. Notre supérieur est satisfait par le projet … Sophie et moi avons mené ensemble.
l. La réunion … je t'ai parlé a lieu demain matin.

2 Mettez les verbes au futur simple.

a. Dans quelques années, je (créer) mon entreprise.
b. Pour le prochain séminaire, nous (aller) à Lyon.
c. Après la réunion, vous (faire) un compte rendu, s'il vous plaît.
d. Dans quelques mois, je (être) chef du service comptabilité.
e. Nous n'(avoir) pas assez de temps pour terminer le dossier avant la fin de la semaine.
f. Je suis désolée, je ne (venir) pas à la réunion de service.
g. Mes rendez-vous de vendredi (devoir) être annulés. Je ne (être) pas rentré de mission.
h. Nos collaborateurs japonais (venir) le mois prochain. Ils (vouloir) certainement visiter la chaîne de production.
i. Tu ne (pouvoir) pas obtenir une promotion, si tu continues comme ça !
j. Dans quelques jours, nous (recevoir) les nouveaux prototypes. Nous sommes tous impatients de les voir.

3 Écoutez les numéros de téléphone. Écrivez-les en nombres.

4 Retrouvez l'ordre du dialogue téléphonique.

a. C'est de la part de qui ?
b. Désolée, son poste ne répond pas
c. Ripa 3000, bonjour.
d. Pouvez-vous lui demander de me rappeler rapidement, s'il vous plaît ?
e. Bonjour, je voudrais parler à Monsieur Magoux.
f. Je peux prendre un message ?
g. De la part de Ryan Brown.
h. C'est noté, monsieur.
i. Au revoir.
j. 04 30 85 41 51.
k. Merci.
l. Bien sûr, à quel numéro, s'il vous plaît ?

5 Complétez le texte avec les mots proposés.
rendez-vous – messages – emploi du temps – appels – disponible – bureau – agenda – réunions – mails – factures – restaurant d'entreprise – boîte vocale

Tous les matins, en arrivant au … , j'ouvre mon … pour vérifier mon … . Puis je lis mes … et j'écoute les … sur ma … .
Je réponds d'abord aux mails et aux … les plus urgents.
Puis je vérifie les … . J'essaye aussi d'être … pour mon équipe.
À l'heure du déjeuner, je vais au … avec mes collègues.
L'après-midi, j'ai souvent des … ou des … .
Vers 18 heures, je quitte le travail.

6 Voici les directeurs de deux grandes entreprises. Comparez-les en utilisant des comparatifs et des superlatifs. Imaginez leur style de management, leur entreprise...

7 Complétez les phrases suivantes avec les pronoms compléments *le, la, les, lui, leur et y*.

a. J'adore mon assistante, je … offre régulièrement des fleurs.
b. As-tu téléphoné à Madame Duval ? Oui, je … ai téléphoné, il y a une heure.
c. Pourrais-tu me confirmer cette information par mail, s'il te plaît ? Oui, je te … confirme dans la journée, sans faute.
d. Je trouve ces réunions très intéressantes, j' … participe chaque fois.
e. Sophie ? Je … vois à midi. On déjeune ensemble aujourd'hui.
f. Quand de nouveaux clients viennent chez nous pour la première fois, je … fais toujours visiter nos locaux.
g. Les mails internes sont trop nombreux, je ne … lis pas tous car je n'ai pas le temps.
h. Le PDG a convoqué l'ensemble de ses collaborateurs. Il … a présenté les nouveaux projets pour l'année prochaine.
i. Notre nouvelle usine a ouvert en Chine. J'… vais la semaine prochaine pour vérifier que tout se passe bien.

8 Faites des phrases au sujet de vos collègues et de votre entreprise, en utilisant les pronoms compléments.

• *Mes collègues, je **les** aime bien.*

9 Complétez le dialogue entre Sonia et Aissatou avec les mots proposés.
conditions – comité d'entreprise – bulletin d'inscription – commission – appartements en location – expositions

Sonia : Tu as vu l'e-mail du … ?
Aissatou : Pour les billets de cinéma ?
Sonia : Oui, c'est intéressant. Mais ce qui m'intéresse surtout ce sont les …. Je vais remplir le … .
Aissatou : Il paraît que la … logement du CE propose aussi des … .
Sonia : Oui, mais il y a des … . Cela dépend de ton salaire.

10 Récrivez les phrases en remplaçant *on* par « *nous* » ou « *tout le monde* », selon les cas.

a. En France, on travaille entre 35 et 39 heures par semaine.
b. Ma collègue et moi, on partage le même bureau.
c. Avec Léa, on déjeune toujours au restaurant d'entreprise.
d. Dans la vie, on a parfois des décisions difficiles à prendre.

11 Retrouvez les mots de l'unité 6 en rapport avec les conditions de travail.

a. Les moments de la journée où le salarié doit être présent.
b. Propose des aides et des avantages aux salariés dans les grandes entreprises.
c. Désigne les périodes où le salarié ne travaille pas.
d. Permet aux salariés de déjeuner dans l'entreprise.

12 Imaginez un dialogue à deux à partir de l'image.

13 Choisissez le mot qui convient.

a. La diversité est un *atout/handicap*.
b. Le respect est une *condition/valeur* de mon entreprise.
c. Le CV anonyme a pour but de *favoriser/éviter* les discriminations.
d. Le travail *individuel/en équipe* passe par l'entraide.

1 Vous êtes chargé de l'organisation du pot de départ en retraite d'un collègue de votre service. Vous écoutez les recommandations de votre supérieur et vous réalisez une fiche pour ne rien oublier.

Date prévue : ....
Horaire : de ... à ... .
Lieu : ....
Retroplanning : ....
1. ....
2. ....
3. ....
4. ....
5. ....

 2 Vous envisagez de monter une petite entreprise. L'article ci-dessous a retenu votre attention. Les affirmations sont-elles vraies ou fausses ? Justifiez votre réponse en citant le texte.

a. L'offre de Apis Développement s'adresse à des chefs d'entreprise qui ont beaucoup d'expérience.
b. Le jeune entrepreneur dispose d'un poste de travail et d'autres services pour un forfait de 100 euros mensuels.
c. Les jeunes entrepreneurs ont un accès à Internet.
d. Les entrepreneurs peuvent occuper les installations de *l'Orangerie* le temps qu'ils veulent.
e. « *coworking* » signifie « travailler ensemble ».
f. Les jeunes entrepreneurs disposent d'un secrétariat.

Un lieu de travail pour les « sans-bureau-fixe »

Apis Développement a lancé une offre de *coworking* (« travailler ensemble » en version française) à l'intention des jeunes candidats à l'entrepreneuriat. Pour eux, Apis Développement a créé, depuis la mi-janvier, *l'Orangerie*, un espace de travail collaboratif qui s'adresse prioritairement aux entrepreneurs de la nouvelle génération. L'Orangerie doit abriter de jeunes entrepreneurs décidés à partager un même espace de travail. Pour cela, les responsables ont élaboré une offre très attractive. Les forfaits débutent à 100 € par mois pour un porteur de projet. Pour ce prix, le candidat à la création, ou le jeune chef d'entreprise, partage un poste de travail design dans un espace de 70 m² aménagé au rez-de-chaussée de l'immeuble. Il dispose d'un bureau, d'une ligne téléphonique, d'un ordinateur en libre-service et d'un accès Wi-Fi au réseau Internet très haut débit. Les occupants ont également accès à différentes prestations : services de secrétariat, salles de réunion, cafétéria. Ils bénéficient aussi de conseils pendant tout leur projet. L'espace est prévu pour accueillir une vingtaine d'entrepreneurs pour une durée maximale de quatre ans.

D'après *Le Parisien*, 18 février 2012.

 3 Vous êtes membre du comité d'entreprise. Vous rédigez une affiche pour présenter aux salariés de l'entreprise les nouvelles propositions d'activités (sports, spectacles, vacances...). Présentez une activité de votre choix.

 4 Parlez brièvement d'un accident ou d'un conflit qui s'est produit dans votre entreprise.

 5 Vous souhaitez déménager votre bureau à un autre emplacement pour diverses raisons. Vous expliquez les motifs de votre décision à votre collaborateur qui essaie de vous convaincre de rester à votre place actuelle. (Le professeur joue le rôle du collaborateur.)

Je participe à une formation

UNITÉ 7

PRÉSENTATION DES CONTENUS

Je découvre les différents types de formation, je lis un programme de formation, je comprends des horaires, je participe et j'évalue une formation, je résous un problème de dernière minute.

J'ai besoin des éléments grammaticaux suivants :
Le passé récent
Il faut + subjonctif
Les articulateurs logiques

J'ai aussi besoin des outils lexicaux suivants :
Les programmes de formation
Le jugement
L'évaluation

▶ Tâche, p. 120
▶ Phonétique, p. 123

Je participe à une formation

1 Vive la formation !

1. Lisez le texte et répondez.

a. Quelle formation l'assistante veut-elle faire ? Pourquoi ?

b. Pourquoi le patron refuse-t-il d'abord ?

c. Citez deux types de formation mentionnés par l'assistante.

d. Que propose l'assistante à son patron ?

e. Quels sont les bénéfices pour le patron de la formation de son assistante ?

La banque où vous travaillez comme assistante installe des succursales en Chine. Alors, vous allez apprendre le chinois. Il ne reste plus qu'à convaincre votre patron !

Vous lui présentez les différents programmes d'apprentissage du chinois. Mais il ne voit que le coût de ces formations.

Pas de problème ! Vous lui rappelez tous les financements possibles, comme le CIF* et le DIF**. Vous avez pris tous les renseignements nécessaires.

Votre patron hésite : nous avons énormément de travail, vous ne pouvez pas vous absenter, même pour apprendre le chinois. Mais si c'est le formateur qui vient dans l'entreprise, quelques heures par semaine ? Et il y a aussi l'e-learning !

Votre patron est impressionné par votre motivation. Il réfléchit. Quels bénéfices peut-il tirer de votre formation ?

Pas besoin de personnel supplémentaire ! Vous doublerez vos compétences et vous serez rapidement opérationnelle. Ça lui donnera une longueur d'avance sur ses concurrents.

Vous avez gagné, vous allez apprendre le chinois en formation continue ! Il ne reste plus qu'à choisir le centre de formation. Mais là encore, vous avez tout prévu…

*CIF : Congé Individuel de Formation, pour les salariés en CDI.
**DIF : Droit Individuel à la Formation, pour tous les salariés.

Les mots pour

- Une succursale
- Un programme d'apprentissage
- Une formation
- Un financement
- Un CIF (Congé individuel de formation)
- Un DIF (Droit individuel à la formation)
- Un formateur / Une formatrice
- Le e-learning
- Être opérationnel(le)
- Un(e) intervenant(e)
- Un(e) concurrent(e)
- La formation continue
- Un centre de formation

2 Lire un programme de formation

2. Lisez le document et répondez.

a. À qui ces formations s'adressent-elles ?

b. Quelle est la durée des formations ?

c. Où les formations se déroulent-elles ?

d. Vous ne pouvez pas vous déplacer : quelle est la solution ?

e. Quelles sont les trois formations proposées ?

f. Comment fait-on pour s'inscrire à une formation ?

Les mots pour

- Un créateur d'entreprise
- Améliorer
- Une performance
- Un plan d'action
- Prospecter
- Évaluer
- S'inscrire
- Télécharger
- Une fiche d'inscription

Forma Pro+ – Formations 2013
Pour les créateurs d'entreprises
Améliorer la performance commerciale

→ **Savoir définir une stratégie commerciale**
Réaliser une étude de marché ; construire un plan d'action
🕐 2 jours – 📅 24-25 février 2013 / 7-8 mars 2013 – ✆ Lyon

→ **Prospecter et relancer au téléphone**
Gagner de nouveaux clients ; le comportement à observer.
🕐 2 jours – 📅 14-15 mars 2013 / 10-11 avril 2013 – ✆ Nantes

→ **Manager une équipe commerciale**
Renforcer la motivation des commerciaux ; évaluer les performances.
🕐 3 jours – 📅 24-26 février 2013 / 20-22 mars 2013 – ✆ Paris

🖱 Certaines de nos formations sont proposées en e-learning.

Contact : FormaPro+@seformer.fr
Téléphone : 01 45 46 47 48
Pour s'inscrire : **www.formapro+.fr**

Télécharger la fiche d'inscription

3 Demander une formation

3. Lisez le mail et répondez.

a. Qui est le destinataire du mail de Pascal Jantou ?
b. Quelle formation Pascal Jantou souhaite-t-il suivre ?
c. Pourquoi est-ce que Pascal Jantou souhaite suivre cette formation ?

Les mots pour

• Une évolution
• Encadrer
• Un(e) chargé(e) de clientèle
• Étudier une demande

De : pjantou@banque.com
À : mdubois@banque.com
Cc : tmitchel@banque.com
Objet : **Demande de formation**

Monsieur,

L'évolution de mon poste ces dernières années m'a progressivement amené à encadrer des chargés de clientèle. Je suis donc intéressé par la formation « Manager une équipe commerciale », qui se déroulera du 20 au 22 mars à Paris.
Je vous remercie de bien vouloir étudier ma demande.

Cordialement.

Pascal Jantou

4 Pourquoi suivre une formation ?

10 heures 30, dans les bureaux de la banque.
Ivan et Melissa, deux collègues, discutent.
(...) Voir transcription p. 137

4. Écoutez le dialogue et répondez.

a. Qui sont Ivan et Melissa ?
b. Pourquoi Melissa ne voit-elle plus Ivan ?
c. Quels reproches Melissa fait-elle à Ivan ? Que lui conseille-t-elle ?
d. Quelle formation vient de suivre Ivan ?
e. Quel est l'intérêt de la formation que Melissa propose à Ivan ?

Les mots pour

• Une promotion	• Personnaliser
• Être dépassé	• Un environnement de travail
• Gérer / La gestion	• Le stress
• Gaspiller	• Déléguer
• Une priorité	• Un truc
• Efficace	• Une astuce
• Maîtriser	• Économiser

GRAMMAIRE

Le passé récent

■ Pour évoquer une action récente, qui s'est produite juste avant le moment où l'on parle, on utilise **venir de** + **verbe à l'infinitif**.
• *Je **viens de recevoir** une offre de formation.*

■ On peut insister en ajoutant **juste**.
• *Je **viens juste de terminer** le dossier Dumont.*

■ Cette expression peut aussi être utilisée au passé.
• *Je **venais d'arriver** lorsque le téléphone à sonné.*

1 Répondez en utilisant « venir de ».

a. Ta formation a commencé il y a longtemps ? – Non, elle...
b. Tu as envoyé un mail au directeur ? – Oui, je...
c. Vous avez regardé le programme des formations ? – Non, nous...
d. Les commerciaux sont déjà partis en séminaire ? – Oui, ils...

2 Rédigez trois phrases en utilisant « venir de ». Vous parlerez de votre travail.

Je participe à une formation

1 Donner un horaire

(...) Voir transcription p. 137

1. Écoutez le message et répondez.

a. Pourquoi est-ce que l'assistante laisse un message sur la boîte vocale de Madame Beaulieu ?

b. Combien de temps dure la formation ?

c. Où la formation a-t-elle lieu ?

d. Où va dormir Anne Beaulieu ?

- -

2 Résoudre un problème

Le réceptionniste : Hôtel du Parc, bonjour.

Fanny Millot : Bonjour, je vous appelle de la BNP, à Paris. J'ai fait une réservation pour quatre personnes la semaine prochaine, du 7 au 10 janvier.

Le réceptionniste : Oui, un instant, je regarde. C'est ça, quatre chambres pour trois nuits.

Fanny Millot : Je souhaite réserver, pour un de nos collaborateurs, une chambre pour une nuit supplémentaire...

Le réceptionniste : Ah... je regrette madame. Il y a un congrès médical toute la semaine, nous sommes complets.

Fanny Millot : C'est embêtant. Il faut absolument que notre collaborateur soit à Grenoble aussi le 11 janvier.

Le réceptionniste : Une personne n'a pas confirmé sa réservation pour cette date. Patientez un instant, s'il vous plaît. Il faut que j'aille voir avec le directeur. Madame Millot ? Je peux vous proposer cette chambre...

Fanny Millot : Merci beaucoup !

Le réceptionniste : ... mais elle est plus chère.

(...) Voir transcription p. 137

2. Écoutez le dialogue et répondez.

a. À qui Fanny Millot téléphone-t-elle ? Pourquoi ?

b. Qu'est-ce qui se passe à Grenoble la même semaine ?

c. Pourquoi est-ce que Fanny Millot hésite à prendre la chambre ?

d. Que doit faire Fanny Millot pour confirmer sa réservation ?

Les mots pour
• Une réservation
• Supplémentaire
• Un congrès
• Confirmer une réservation
• Un mail de confirmation

3. Écrivez le mail de confirmation que Fanny Millot doit envoyer à l'hôtel de Grenoble.

3 Une journée de formation

Gestion du temps et des priorités
Deux jours – 14 heures

➡ Fixer des priorités.
➡ Gérer son temps au quotidien.
➡ Apprendre à dire non et déléguer.

Jour 1

8 h 30 - 8 h 45
▷ Accueil des participants. Petit déjeuner de bienvenue.

9 h - 10 h 30
▷ Dire ses attentes.
▷ Quizz, brainstorming et jeux de rôles.

10 h 30 - 10h45
▷ Pause.

10 h 45 - 12 h
▷ Découvrir sa relation avec le temps ; connaître ses valeurs personnelles.

12 h - 13 h
▷ Les projets professionnels et les projets personnels.
....

13 h - 14 h
▷ Déjeuner.
....

14 h - 15 h 30
▷ Analyse de son emploi du temps (repérer les tâches chronophages).

15 h 30 - 16 h
▷ Pause.

16 h - 17 h
▷ Études de cas (Organiser son travail).

17 h - 18 h
▷ Application à son propre cas.

4. Lisez le document et répondez.

a. À quelle heure commence la journée de formation ?
b. À quelle heure se termine-t-elle ?
c. Combien de pauses sont organisées ?
d. Quel est le nom de la formation ?
e. D'après le programme et d'après votre expérience, à quoi est-ce que cette formation peut servir ?

5. Rencontrez-vous des difficultés pour vous organiser dans votre travail (ou dans vos études) ? Expliquez.

Les mots pour

• Fixer
• Quotidien(ne)
• Un(e) participant(e)
• Une attente
• Un brainstorming
• Un jeu de rôle
• Un quizz
• Une pause
• Une tâche
• Chronophage
• Un projet professionnel/personnel
• Une étude de cas

GRAMMAIRE

Il faut + subjonctif

■ Pour exprimer une obligation, on utilise *il faut + subjonctif*. Le subjonctif présent est formé à partir du radical du verbe à la 3ᵉ personne du pluriel (ils/elles) au présent auquel on ajoute les terminaisons *-e, -es, -e, -ions, -iez, -ent*.
• *Parler → ils parlent → parl- → que nous parlions*
• *Finir → ils finissent → finiss- → que vous finissiez*
• *Boire → ils boivent → boiv- → que je boive*

■ Quelques verbes irréguliers
• **Être** : *que je sois, que nous soyons, qu'ils soient*
• **Faire** : *que je fasse, que nous fassions, qu'ils fassent*
• **Aller** : *que j'aille, que vous alliez, qu'ils aillent*

1 Transformez les phrases selon le modèle.

• *Je dois aller à Grenoble. → Il faut que j'aille à Grenoble.*
a. Nous devons faire une formation.
b. Tu dois aller en réunion.
c. Vous devez finir le rapport.
d. Le formateur doit parler pendant deux heures.
e. Nous devons être à Montréal le 18 mai.

2 Dites ce que vous devez faire les prochains jours. Écrivez quatre phrases en utilisant « il faut que » suivi des verbes *être*, *faire* ou *aller*.

• *La semaine prochaine, il faut que j'aille à Bordeaux pour une formation.*

Je participe à une formation

1 | Évaluez un hôtel

Hôtel du Centre ★ ★ ★
4, place Victor Hugo, 38000 Grenoble, France

6 avis	Écrire un avis

Note attribuée

Excellent ★★★★
Très bon ★★★
Moyen ★★
Médiocre ★
Horrible

avis triés par   Date ▼

◉◉◉○   Avis écrit le 28 octobre 2012
Chambre grande et propre, mais la salle de bain est vraiment petite. Hôtel très bien situé.

◉◉○○   Avis écrit le 5 décembre 2012
Un peu juste pour un 3 étoiles. En effet, les chambres sont petites, la WIFI fonctionne mal et le petit déjeuner est banal. Cependant, nous avons passé un séjour agréable.

◉◉◉◉   Avis écrit le 18 décembre 2012
Le personnel est accueillant, la chambre est spacieuse et la literie confortable. De plus, le petit déjeuner est délicieux.

◉◉◉◉   Avis écrit le 7 janvier 2013
Nous avons passé un séjour formidable !!! D'ailleurs nous avons déjà recommandé l'établissement à nos amis.

◉◉◉○   Avis écrit le 8 janvier 2013
Les chambres sont un peu sombres sinon le rapport qualité-prix est intéressant.

○○○○   Avis écrit le 14 janvier 2013
Hôtel très décevant. Il n'a pas le confort d'un 3 étoiles. Les chambres sont petites et vieillottes, le personnel n'est pas très aimable. Bruyant. Bref, à éviter.

1. Lisez les avis ci-dessus et faites la liste des points positifs et des points négatifs.
2. Récemment, vous êtes allé au restaurant ou à l'hôtel. Vous donnez votre avis sur un site Internet.

GRAMMAIRE

Les articulateurs logiques

■ Les articulateurs logiques permettent d'établir une relation logique entre deux éléments (deux phrases).
• *Cette formation était très intéressante ; **en effet** tout le monde a félicité le formateur.*
• *La partie sur le management était très utile, **cependant / en revanche / mais** celle sur l'e-business était ennuyeuse.*
• *Les chambres sont un peu petites **sinon** l'accueil est impeccable.*

---

1 | Complétez les phrases avec *en réalité, de plus, en revanche, en effet, d'ailleurs, cependant*.

a. Je pensais que Paul n'était pas compétent pour ce poste. Je me suis trompée, ... il fait du bon travail.
b. Sophie a fait un excellent travail, ... son supérieur l'a félicitée.
c. Cet hôtel est très confortable, ... il est excentré.
d. Cette formation est déjà complète, ... elle est très intéressante.
e. J'adore mon nouveau poste, ... je suis contente de partir en vacances.
f. Notre patron est très sympathique, ... il est compétent.

2 Une formation informatique

Le formateur : Bonjour à tous ! Je suis Kamel, votre formateur. Je vais vous apprendre à signer vos messages mails. Nous commencerons par créer une signature pour vos documents externes. Ensuite nous créerons une signature pour vos documents internes. Tout d'abord, vous devez avoir défini avec votre responsable les informations à faire apparaître sur la signature.
Vos ordinateurs sont allumés ?
Les participants (*en chœur*) : Oui !
Le formateur : Alors, allons-y !
(...) Voir transcription p. 137

3. Écoutez le dialogue et répondez.

a. Quel est l'objet de la formation ?
b. Quelles informations doivent figurer dans la signature ?
c. Que pensez-vous des explications du formateur ?
d. Quels sont les deux types de signatures ?

Les mots pour

- Une signature
- Un document interne/externe
- Une messagerie
- Un message
- Une barre d'outils
- Une icône
- Un fichier
- Un tableau numérique
- Cliquer
- Enregistrer
- Automatiquement
- Éviter
- Se tromper

4. Vous avez suivi cette formation. Vous devez maintenant remplir une fiche d'évaluation de la formation.

Fiche d'évaluation			
Animateur :		Date :	
Participant (facultatif) :		Intitulé de la formation :	
	Très satisfaisant	Satisfaisant	Moyen	Insuffisant
• Organisation (horaire, durée, pause...)				
➡ *Commentaires et suggestions :*				
• Les conditions matérielles (installation, poste informatique, logiciels...)				
➡ *Commentaires et suggestions :*				
• Qualité des explications (clarté, précision, supports utilisés...)				
➡ *Commentaires et suggestions :*				
• La documentation remise				
• Estimez-vous que la formation a répondu à vos attentes ? Pourquoi ?				
• Avez-vous besoin d'une session d'approfondissement ?				
• Avez-vous des suggestions ?				

Un nouveau style de formation

Destinés à séduire les jeunes diplômés, les *business games* ont toujours le vent en poupe dans les grandes banques françaises, à l'instar de BNP Paribas (*Ace Manager*), Société Générale (*Citizen Act*) ou encore Crédit Agricole et HSBC (*Euromanager*). Mais une nouvelle étape vient d'être franchie avec l'apparition de jeux aidant les jeunes cadres à découvrir les métiers de la banque et comprendre la logique bancaire. Première à ouvrir le bal, BNP Paribas avec *StarBank the Game* disponible en ligne depuis mars 2009. Le succès a tout de suite été au rendez-vous puisque trois mois après son lancement, sur les 51 000 visiteurs, 30 000 sessions de jeu ont été enregistrées.

« L'approche innovante du *serious game* est un véritable levier pour l'apprentissage du fonctionnement de la banque dans le processus d'intégration des nouveaux arrivants », explique Valérie Belhassen, responsable adjointe de la formation chez BNP Paribas. « Pour compléter cette formation, une base de connaissances décrivant l'organisation du groupe, ses activités et ses métiers est également proposée. »

Car contrairement aux formations à distance de type e-learning, chaque *serious game* est développé dans le but d'atteindre des objectifs pédagogiques précis : entraînement aux entretiens, comportement vis-à-vis des clients...

efinancialcarreers.fr, Thierry Iochem, 2009.

1. À quel secteur appartiennent les entreprises citées dans l'article ?
2. Qu'est-ce qu'un *serious game* ?
3. Quel est l'intérêt de ce nouveau type de formation ?

L'apprentissage à distance

Apparu avec Internet, l'apprentissage en ligne, ou e-learning, s'est rapidement implanté dans des domaines très variés. Mais qu'est-ce que l'e-learning ? Il s'agit d'utiliser les nouvelles technologies de l'Internet pour faciliter l'accès à des ressources et des services. L'e-learning favorise les échanges et la collaboration à distance. L'apprentissage à distance concerne tous les secteurs : le soutien scolaire, la découverte des vins de France, la musique et même la gymnastique ! Il s'adresse également à tous les publics, des seniors aux étudiants en passant par les jeunes enfants. Mais ce sont les entreprises qui profitent le plus de cette nouvelle forme d'apprentissage ! Le formateur (ou les employés) n'ont pas besoin de se déplacer. Les horaires de la formation sont flexibles. Et surtout le coût de ces formations est faible !

1. Qu'est ce que l'e-learning ?
2. Pourquoi est-ce que les entreprises sont intéressées par cette nouvelle forme d'apprentissage ?

Un cours de langue par téléphone

Aujourd'hui, beaucoup d'entreprises proposent à leurs salariés des cours de langue par téléphone. Ce type de formation est pratique et économique. Le salarié suit les cours quand il est disponible et sans quitter son poste. Quand il est en déplacement, le professeur peut le joindre partout.
Cette méthode privilégie l'écoute et la parole. Avec le téléphone, la peur de l'oral est vite vaincue et les progrès sont rapides. Pour suivre une telle formation, il faut déjà connaître un peu la langue avant de commencer.

1.Quels sont les avantages et les inconvénients de l'apprentissage par téléphone ?

Au travail !

▶ **Résumé :**
À l'espace détente, Séverine, Christophe et Mehdi discutent de l'intérêt de la formation au sein de l'entreprise.

▶ **Objectifs**
• Contacter des partenaires.
• Résoudre un problème.
• Lire un programme de formation et choisir son programme

→ **Cahier d'activités**

1 Vous allez assister à une formation en France. Vous avez effectué la réservation il y a quelques jours. Vous trouvez un message de confirmation sur votre boîte vocale. Observez votre fiche de réservation et repérez les erreurs ou complétez quand le renseignement n'est pas fourni.

HÉDIMA FORMATIONS

▶ **Nom :** Canovas
▶ **Prénom :** Elena

▶ **Nom du module :**	☐ Gestion d'équipes	☐ Valoriser les compétences	
	☑ Gestion de projets	☐ Mise en place de formations	
▶ **Dates :**	☐ 10 au 14 mars	☐ 17 au 21 mars	☐ 14 au 18 avril
▶ **Horaire choisi :**	☑ 8h30-12h et 13h30-17h	☐ 8h30-12h30 et 14h30-17h30	
▶ **Hébergement :**	☐ Chambre simple	☑ Chambre double	☐ Studio
▶ **Type de carte d'adhérent :**	☐ Standard	☐ Pro	☑ Premium
▶ **Paiement :**	☐ Réalisé	☐ Non réalisé	
▶ **Repas du midi :**	☑ Oui	☐ Non	
▶ **Repas du soir :**	☑ Oui	☐ Non	

2 Vous êtes chargé de l'organisation d'un séminaire qui aura lieu dans votre entreprise. Votre supérieur vous envoie un mail au sujet de l'organisation. Vous notez sur une fiche tout ce que vous devez faire. Complétez la fiche

De : Pierre Zhou
À : Sébastien Caen
Objet : Organisation séminaire 3 juin

Bonjour Sébastien,

Je vous rappelle les points suivants pour l'organisation du séminaire :

↘ Ne pas oublier d'inviter Monsieur Van den Bosch ; c'est un client important et il appréciera.

↘ Les participants doivent quitter les lieux à 21 h au plus tard. Les locaux ferment à 21 h 30 pour des questions de sécurité.

↘ Qui se charge de faire l'enquête de satisfaction ? Demandez à Myriam de s'en charger. Elle peut reprendre le modèle de la dernière fois.

↘ Prévoyez le café pour la pause. Voir avec Olivier pour les achats. Nous serons 20.

↘ La salle : vérifier le nombre de chaises dans la salle de réunion. Vérifier également que le rétroprojecteur fonctionne et que l'ordinateur est connecté à Internet (l'autre fois, nous avons perdu 15 minutes !).

Je crois que c'est tout.

Bon courage,

P.Z.

À faire
1.
2.
3.
4.
5.
6.
7.

3 Vous vous absentez pendant une semaine pour un déplacement à l'étranger. Vous rédigez un message de réponse automatique pour vos courriers électroniques. Vous précisez la durée de votre absence (en donnant des dates précises) et le nom et les coordonnées de la personne à contacter en cas d'urgence.

 4 Racontez la dernière formation à laquelle vous avez assisté ou imaginez une formation que vous souhaitez faire.

 5 Vous avez animé un atelier pour vos collègues. Vous souhaitez avoir l'avis d'un(e) collègue proche qui y a assisté. Vous échangez sur les contenus, le programme, le matériel utilisé, pour avoir son avis. (Le professeur joue le rôle du collègue.)

Un an déjà !

UNITÉ 8

PRÉSENTATION DES CONTENUS

Je passe un entretien annuel, je fais le bilan, je formule des souhaits, je demande une augmentation, je suis promu, j'échange des impressions, je prends une décision.

J'ai besoin des éléments grammaticaux suivants :
Les articulateurs chronologiques
Le conditionnel présent
Les verbes pronominaux

J'ai aussi besoin des outils lexicaux suivants :
Les sentiments
Les échanges d'impressions

▶ Tâche, p. 120
▶ Phonétique, p. 123

Un an déjà !

1 | À quoi sert un entretien annuel ?

Voilà un an que vous êtes dans l'entreprise. Vous allez passer un entretien annuel. C'est très utile pour le management de l'entreprise. En général, il est organisé par le service des ressources humaines.

Les enjeux de l'entretien annuel	
Le responsable	**Le salarié**
• Il reçoit chaque collaborateur pour faire le bilan de l'année.	• Il fait le bilan des résultats de l'année écoulée.
• Il évalue les compétences du salarié.	• Il montre ses réussites.
• Il reconnaît ses points forts, il signale les points à améliorer.	• Il évoque ses échecs, les explique et suggère des solutions pour y remédier.
• Il analyse les résultats et les échecs.	• Il motive sa demande de formation par la nécessité de développer des savoirs, des savoir-faire ou des savoir-être.
• Il évalue le comportement du salarié au sein de l'équipe et son engagement dans le service.	
• Il fixe de nouveaux objectifs.	• Il pose des questions sur l'évolution de sa carrière et peut évoquer une augmentation de salaire.
• Il conseille ou programme des formations.	
• Il prévoit éventuellement une orientation nouvelle ou une promotion pour le salarié.	• Il justifie son souhait d'obtenir une promotion.

1. Lisez le document et répondez.

a. Quels sont les points communs entre les enjeux du responsable et les enjeux du salarié ? Justifiez vos choix.
b. Comment le responsable peut-il préparer l'entretien ?

c. Comment le salarié peut-il préparer l'entretien ?
d. Est-ce que l'entretien annuel permet de parler de la rémunération du salarié ? Expliquez.

2. Voici la fiche d'évaluation d'un salarié d'une entreprise spécialisée dans les transports. Jouez par deux la scène de l'entretien annuel en suivant les indications.

▶ **Rôle 1 : vous êtes le responsable d'exploitation, vous dirigez l'entretien.**

Vous commentez ses résultats de l'année ; vous lui posez des questions sur ses échecs ; vous lui proposez de nouveaux objectifs ; vous terminez l'entretien.

▶ **Rôle 2 : vous êtes le transporteur ; le responsable de l'exploitation dirige l'entretien.**

Vous écoutez et vous répondez aux remarques de votre manager ; vous justifiez vos échecs (l'augmentation du trafic routier, les objectifs trop optimistes du manager, des problèmes personnels, la météo…) ; vous acceptez les nouveaux objectifs ; vous saluez.

Entretien annuel
Fiche d'évaluation de Monsieur Paul Cavalier, transporteur.

Entretien mené par Monsieur Nicolas Leroux, responsable d'exploitation.

25 mars 2013

Évaluation sur les objectifs de l'année 2013 :

	+			–
• Respect des dates de livraison :	A	B	C	D
• Respect des consignes internes de sécurité :	A	B	C	D
• Respect du code de la route :	A	B	C	D

Les mots pour

- Un entretien annuel
- Un enjeu
- Le management
- Un bilan
- Un point fort

- Améliorer
- Un résultat
- Un échec
- Un comportement
- Un engagement

- Un objectif
- Programmer
- Une orientation
- Une promotion
- Une réussite

- Remédier
- Un savoir
- Un savoir-faire
- Un savoir-être
- Une carrière

GRAMMAIRE

Les articulateurs chronologiques

Ils marquent une progression ou une chronologie.

Pour commencer	Pour continuer	Pour terminer
Premièrement	Deuxièmement, troisièmement...	Pour finir
En premier lieu	En second lieu	
Tout d'abord	Puis	Enfin
D'abord	Ensuite	Finalement

• **D'abord**, nous allons faire un bilan, **puis** nous fixerons vos objectifs et **enfin** nous parlerons de vos souhaits.

1 **Complétez les phrases avec les mots du tableau.**

a. Pendant cet entretien, nous parlerons ... de vos résultats ... de vos prochains objectifs et ... de votre salaire.
b. ..., je veux vous dire que la société est très satisfaite de votre travail.
c. ... pour finir cet entretien, je suis heureux de vous annoncer une augmentation.
d. J'ai beaucoup d'avantages à mon travail : ... un téléphone portable, ... une voiture de fonction !

2 **Faire le point**

Margaux Fontaine : Bonjour Lisa, asseyez-vous, je vous en prie.
Lisa Martino : Merci.
Margaux Fontaine : Alors, ça va ?
(...) Voir transcription p. 138

Les mots pour

• Un règlement de compte
• Un moment privilégié
• Faire le point
• Procéder / Une procédure
• Fixer un objectif
• Envisager
• Un souhait
• Un délai de transport
• Un délai de livraison
• Une réorganisation
• La manutention
• Mitigé
• Une procédure
• S'intégrer
• S'imposer

3. Écoutez le dialogue et répondez.

a. Selon Margaux Fontaine, à quoi sert l'entretien annuel ?
b. Comment est le bilan de Lisa Martino ?
c. Pourquoi les clients de LogiTransport sont-ils satisfaits ?
d. Que doit améliorer Lisa Martino ?

4. Vous arrivez au bout de votre période d'essai. Vous faites le point avec votre responsable sur vos premiers mois dans l'entreprise. Au choix, la période d'essai est positive ou négative. Jouez la scène à deux.

Un an déjà !

1 Fixer des objectifs

🎧 (...) Voir transcription p. 138

1. Écoutez le dialogue et répondez.

a. Quels sont les souhaits de Hakim ?
b. Pourquoi Hakim souhaite-t-il une formation en Russe ?
c. Pourquoi Louise Dumont accorde-t-elle une augmentation à Hakim ?
d. Quel est le montant de l'augmentation proposé par Louise Dumont ?

2 Demander une augmentation

2. Lisez le mail et répondez.

a. Quel est le métier d'Albert Roca ?
b. Dans quelle entreprise travaille-t-il ?
c. Pourquoi Albert Roca écrit-il un mail à son employeur ?
d. Quels sont ses principaux arguments ?

↘ **3. À la fin de votre entretien annuel, vous demandez une augmentation à votre responsable qui hésite. Vous donnez des arguments. Jouez la scène à deux.**

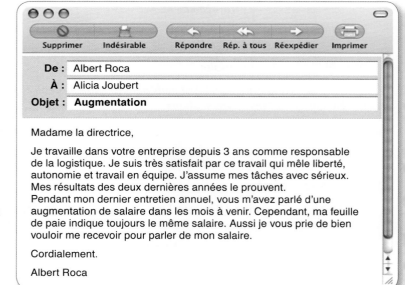

| | | Supprimer | Indésirable | | Répondre | Rép. à tous | Réexpédier | Imprimer |

De : Albert Roca
À : Alicia Joubert
Objet : Augmentation

Madame la directrice,

Je travaille dans votre entreprise depuis 3 ans comme responsable de la logistique. Je suis très satisfait par ce travail qui mêle liberté, autonomie et travail en équipe. J'assume mes tâches avec sérieux. Mes résultats des deux dernières années le prouvent.
Pendant mon dernier entretien annuel, vous m'avez parlé d'une augmentation de salaire dans les mois à venir. Cependant, ma feuille de paie indique toujours le même salaire. Aussi je vous prie de bien vouloir me recevoir pour parler de mon salaire.

Cordialement.

Albert Roca

GRAMMAIRE

Le conditionnel présent

■ Il est utilisé pour :
– exprimer un souhait.
  • *L'année prochaine,* **je souhaiterais** *faire une formation.*
  • *Si je pouvais, je* **changerais** *de service.*
– donner des conseils.
  • **Vous devriez** *essayer d'être plus rapide.*
  • *Et si vous faisiez une formation ? Cela* **pourrait** *vous aider.*
– demander poliment.
  • **Pourriez-vous** *m'apporter le dossier Duchemin ?*
– rapporter des informations non confirmées.
  • *Selon la rumeur, nous* **rachèterions** *une société russe...*

■ Le conditionnel se forme comme le futur simple. Les terminaisons du conditionnel sont **-ais, -ais, -ait, -ions, -iez, -aient.**
  • *Parler → parl → je parler***ais***, tu parler***ais**...*
  • *Prendre → prendr → je prendr***ais***, il prendr***ait**...*

■ Les verbes irréguliers au futur simple sont irréguliers au conditionnel.

Voir précis de grammaire p. 129

1 Transformez ces phrases en informations non confirmées.

a. L'entreprise Funshung rachète un grand vignoble bordelais.
b. Notre chef de service a demandé sa mutation.
c. Il n'y aura pas de primes car les résultats sont trop bas.
d. Notre entreprise va fusionner avec notre principal concurrent.
e. La société Magout va licencier 50 personnes.
f. Le PDG cherche une nouvelle assistante. L'actuelle n'est pas assez disponible.

2 Que diriez-vous dans les situations suivantes ? Employez le conditionnel.

Votre nouveau collègue a un look un peu décalé par rapport aux habitudes de votre société.

Vous demandez deux services à un de vos collègues.

C'est la fin de votre entretien annuel, vous exprimez vos souhaits pour l'année prochaine.

3 Le bulletin de paie

Les mots pour

- Le bulletin de paie / de salaire / la feuille de paie
- Le salaire brut
- Le salaire net
- Les retenues
- La sécurité sociale
- Les allocations familiales
- Une cotisation
- L'accident du travail
- L'assurance chômage
- La retraite complémentaire
- La CSG (Contribution sociale généralisée)
- La CRDS (Contribution pour le remboursement de la dette sociale)

Le saviez-vous ?

Le salaire brut, c'est ce que verse l'employeur. Le salaire net, c'est le salaire reçu par le salarié après le retrait des différentes cotisations.

BULLETIN DE PAIE

SOCIÉTÉ TRANSPORT +
Rue des Mouettes
31400 TOULOUSE
SIRET 07935562100019 - NAF 5849C
URSSAF 310 2033408

M. Edouard DELMAS
10, rue Pasteur
31000 TOULOUSE
Matricule : 1500733181004
Emploi : Chauffeur routier

Établissement : Société Transport +
Période du 01/01/2013 au 31/01/2013

SALAIRE BRUT				
Désignation	Base	Taux	Montant	Montant (ns)
Salaire de base	151,67	10,00000	1 949,95	

RETENUES					
Désignation	Base	Taux Sal. %	Montant Sal.	Taux Pat. %	Montant Pat.
Sécurité sociale Maladie	1 949,95	0,750	14,62	12,800	249,59
Sécurité sociale Vieillesse plafonnée	1 949,95	6,750	131,62	8,400	163,80
Sécurité sociale Vieillesse déplafonnée	1 949,95	0,100	1,95	1,600	31,20
Allocations familiales	1 949,95			5,400	105,30
Cotisation FNAL déplafonnée	1 949,95			0,500	9,75
Contribution de solidarité autonomie	1 949,95			0,300	5,85
Accident du travail	1 949,95			2,000	39,00
Réduction de cotisation Loi Fillon	373,22			-100,000	-373,22
Majoration réduction Fillon	56,74			-100,000	-56,74
Assurance chômage Tranche A	1 949,95	2,400	46,80	4,000	78,00
Cotisation AGS (FNGS)	1 949,95			0,300	5,85
Retraite complémentaire Tr A	1 949,95	3,000	58,50	4,500	87,75
AGFF Tr A	1 949,95	0,800	15,60	1,200	23,40
CSG non déductible	1 915,83	2,400	45,98		
CRDS non déductible	1 915,83	0,500	9,58		
CSG déductible	1 915,83	5,100	97,71		
Cotisation de formation	1 949,95			1,600	31,20
Taxe d'apprentissage	1 949,95			0,500	9,75
Participation construction	1 949,95			0,450	8,77
TOTAL			422,36		419,25
NET À PAYER			1 527,59		

4. Observez le bulletin de paie et répondez.
- **a.** À quelle période correspond le bulletin de paie ?
- **b.** Quel est le montant du salaire brut ?
- **c.** Quel est le montant du salaire net à payer ?

5. Dans chacun des cas, dites qui paie les retenues : le salarié, l'employeur ou les deux ?
- Sécurité sociale Maladie – Allocations familiales – Accident du travail – Assurance chômage – Retraite complémentaire – CSG – CRDS.

Un an déjà !

1 Vouloir une promotion

Midi. Deux collègues et amies discutent au restaurant d'entreprise.

Alexandra : Alors comment vas-tu aujourd'hui ? Hier tu avais l'air un peu énervée...

Frédérique : Oh, oui peut-être ! J'ai envie de changement !

Alexandra : Tu ne te sens pas bien au bureau ?

Frédérique : Si, je me sens bien. Mes collègues et moi, nous nous entendons très bien !

Alexandra : Alors qu'est-ce qui se passe ?

Frédérique : Je crois que j'ai fait le tour de mon poste, je m'ennuie un peu depuis quelques temps. Je ne suis pas carriériste, mais je ne vais pas faire toute ma carrière au même poste !

Alexandra : Qu'est-ce que tu voudrais faire ?

Frédérique : Je ne sais pas ! Je m'interroge encore ! Est-ce que je ne devrais pas envisager un autre travail ?

Alexandra : Tu veux quitter l'entreprise ?

(...) Voir transcription p. 138

1. Écoutez le dialogue et répondez.

a. Pourquoi Frédérique est-elle énervée ?
b. Qu'est-ce qu'elle reproche à son travail ?
c. Qu'est-ce qu'elle veut ?
d. Est-ce que Frédérique a les compétences pour ce poste ?

GRAMMAIRE

Les verbes pronominaux

■ Les verbes pronominaux se construisent avec un pronom personnel placé avant le verbe.
 • *Elle **se prépare** pour son entretien annuel.*

■ Le pronom change avec les personnes.
 • *Je **me** demande, tu **te** demandes, il **se** demande, nous **nous** demandons, vous **vous** demandez, ils **se** demandent*

■ Au passé composé, les verbes pronominaux, se conjuguent avec l'auxiliaire **être**.
 • *Ils **se sont concentrés** sur les points positifs.*
 • *Nous **nous sommes occupés**...*

⚠ Certains verbes pronominaux ne s'accordent pas avec leur sujet au passé composé.

Les mots pour

- Se sentir (bien ou mal)
- S'entendre (bien ou mal)
- Faire le tour (de)
- S'ennuyer
- Être carriériste
- S'interroger
- Grimper dans la hiérarchie
- S'épanouir
- Se concentrer
- Accorder

1 Conjuguez les verbes entre parenthèses.

a. Paul et Julie ont créé leur petite entreprise. Ils (s'épanouir) dans leur nouveau travail.
b. Ils (ne plus s'ennuyer) comme avant.
c. Maintenant ils (se concentrer) sur leurs résultats.
d. Ils (s'agrandir) bientôt.
e. Et toi, tu (s'entendre) bien avec tes collègues !
f. Moi, je (m'épanouir) dans mon nouveau travail !
g. Nous (se préparons) pour la réunion.
h. Vous (s'occuper) du dossier « Transport » ?

2 Les relations hiérarchiques dans l'entreprise

ACCUEIL   Catégories   Mon activité

Page **1** sur 3

Répondre à la discussion

LA HIÉRARCHIE DANS L'ENTREPRISE

avril 2013 **Bob** Grenoble ★☆☆☆☆	J'ai travaillé pendant plusieurs années aux États-Unis. Là-bas, au travail, on s'appelle tous par nos prénoms ! C'est plus convivial et ça ne nous empêche pas de respecter la hiérarchie. À mon retour en France, j'ai eu un peu de mal. J'ai perdu l'habitude de dire « Madame » ou « Monsieur » !
avril 2013 **Farida** Paris ★★☆☆☆	Moi, je travaille en France dans une start-up alors l'ambiance est plus décontractée. On s'appelle par nos prénoms et on se tutoie. On peut tous donner son avis, mais le directeur reste le directeur !
avril 2013 **Pipelette** Marseille ★★★☆☆	Je travaille dans une grande entreprise. La hiérarchie est très présente et il y a beaucoup de niveau hiérarchique. C'est une hiérarchie pyramidale.
mai 2013 **Manu** Montréal ★★☆☆☆	Au Canada, je travaille dans une grande entreprise. Mais la distance avec la hiérarchie est faible.
mai 2013 **Albatros** Dijon ★★★☆☆	Quand je travaillais à Londres, avec mon patron nous partagions la même passion : le golf. Il m'a plusieurs fois proposé de jouer avec lui. C'était sympa et dans l'entreprise tout le monde le savait et trouvait ça normal. Ici en France, ça ne se fait pas…
mai 2013 **Oscar** Bruxelles ★☆☆☆☆	En France, j'ai toujours déjeuné avec mes collègues. On parle du travail, mais pas seulement. J'aime bien !
mai 2013 **Eugénie** Nice ★★★★★	Une entreprise sans hiérarchie, c'est un peu comme un bateau sans capitaine !

2. Lisez le forum et répondez.

a. De quels pays est-il question dans ce forum ?
b. Y a-t-il des différences dans la hiérarchie en fonction du statut de l'entreprise ? Expliquez.
c. Dans quel pays peut-on faire des activités avec son patron en dehors du travail ?
d. À votre avis, qu'est-ce qu'une hiérarchie pyramidale ?
e. Comment comprenez-vous ce que dit Eugénie ?

 3. Continuez à l'oral, ou à l'écrit, la discussion commencée sur le forum.
Vous évoquerez votre expérience dans votre pays et/ou à l'étranger.

Que pensent les salariés de leur manager ?

80 % des managers se sentent plutôt épanouis au travail. 76 % des salariés sont satisfaits de la relation qu'ils entretiennent avec leur manager. 70 % des salariés estiment qu'ils ont un bon manager. Ils sont 71 % à penser que les bonnes relations sont possibles avec un patron, sans pour autant être son ami. Les jeunes pensent davantage que l'on peut devenir ami avec son patron.

Les salariés français ont cependant des réserves sur la manière dont les managers exercent leur rôle. Ils leur reprochent, en particulier, de ne pas savoir bien motiver leurs collaborateurs, de ne pas assez veiller à leur épanouissement professionnel et aussi de ne pas assez valoriser le travail effectué. L'avis des salariés varie en fonction de la taille de l'entreprise. Les salariés qui travaillent dans des grosses entreprises (1 000 salariés et plus) sont moins critiques que ceux qui travaillent dans des moyennes entreprises et dans des petites entreprises. Plus l'entreprise est petite, plus les salariés sont critiques envers la hiérarchie.

Cependant, les salariés français ne souhaitent pas, pour la plupart, devenir manager. Soit ils estiment ne pas en être capables, soit ils n'en n'ont pas le désir. Ils sont seulement 33 % à vouloir exercer les responsabilités de leur supérieur hiérarchique. Les Américains, au contraire, ont très envie de remplacer leurs supérieurs !

Source : enquête BVA, septembre-octobre 2012 et CSA pour Terrafemina, octobre 2012

1. D'après ce texte, en France, comment sont les relations entre les managers et les salariés ?
2. Qu'est-ce qui différencie les Français et les Américains ?
3. Dans votre pays, en général, comment sont les relations entre les salariés et les responsables hiérarchiques ?

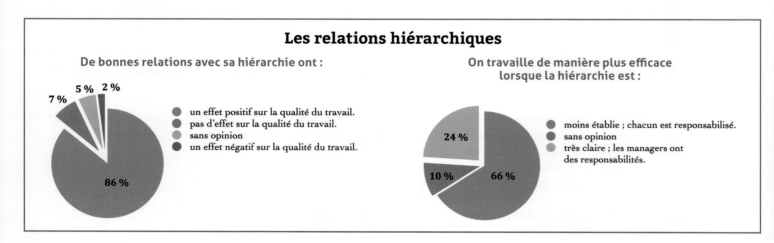

Les relations hiérarchiques

De bonnes relations avec sa hiérarchie ont :

7 % 5 % 2 %

86 %

- un effet positif sur la qualité du travail.
- pas d'effet sur la qualité du travail.
- sans opinion
- un effet négatif sur la qualité du travail.

On travaille de manière plus efficace lorsque la hiérarchie est :

24 %

10 % 66 %

- moins établie ; chacun est responsabilisé.
- sans opinion
- très claire ; les managers ont des responsabilités.

Différences culturelles et hiérarchie

Le Hollandais Geert Hofstede, professeur d'anthropologie des organisations et de management international, s'est intéressé à la distance hiérarchique. La distance entre un salarié et son responsable n'est pas perçue partout de la même manière. Elle varie selon les pays, les cultures.
Geert Hofstede a mis en évidence que la distance hiérarchique est très grande dans de nombreux pays d'Amérique latine, en Asie, dans les pays du Maghreb et du Moyen Orient. Elle est modérée en France, dans certains pays d'Europe, mais aussi aux États-Unis ou au Brésil. La distance hiérarchique est faible dans les pays du nord de l'Europe. Au Canada, la distance hiérarchique est de faible à modérée. Pour le chercheur, il existe plusieurs explications à ces différences. Par exemple, plus la population est faible, plus la distance hiérarchique est faible. L'inégalité dans le partage des richesses augmente la distance hiérarchique. Le poids de l'histoire et de la religion est toujours important.

1. Dans quels pays la distance hiérarchique est-elle la plus faible ?
2. Qu'est-ce qui explique les différences de distance hiérarchique entre les pays ?

Un an déjà...

▶ **Résumé** : Sabrina et David parlent de leur entretien annuel à venir.

▶ **Objectifs**
- Faire le bilan.
- Passer l'entretien annuel.
- Être promu.
- Prendre une décision : rester ou partir ?

→ Cahier d'activités

Le prix du meilleur manager africain

Oulaba Kabassan Kéita, Directeur général de la Société de gestion et d'exploitation de l'aéroport de Conakry (SOGEAC), a été désigné, le 26 avril 2012, meilleur manager africain de l'année par le Conseil international des managers africains (CIMA). Cet ancien Directeur général du port autonome de Conakry (Guinée) a la réputation d'être un homme rigoureux, efficace et qui se consacre totalement à son travail. Il est toujours le premier à arriver et le dernier à partir. On raconte d'ailleurs que, lorsqu'il a été nommé en 2011 à la SOGEAC, son oncle lui a dit : « Un petit conseil, si ton directeur actuel te dit de venir à 6 heures, présente-toi à 5 heures, c'est un inconditionnel de la précision et de l'exactitude. »

À la SOGEAC, où il est en fonction depuis avril 2011, Kabassan Kéita a développé de nouveaux commerces, des espaces conviviaux pour répondre aux besoins des usagers. Il encourage le développement des activités économiques et touristiques du pays.

1. Quel prix a reçu Oulaba Kabassan Kéita ?
2. Quelles sont les qualités de Oulaba Kabassan Kéita ?

1 Complétez les phrases avec *en réalité, même si, pourtant, d'ailleurs*

a. La société Onca a été meilleure que nous sur ce projet, ... c'est elle qui a obtenu le marché.
b. ... je ne l'apprécie pas beaucoup, il faut avouer que Paul est un très bon négociateur.
c. Pierre a obtenu une augmentation et une promotion, ... il a décidé de partir.
d. Avant son arrivée, notre PDG avait la réputation d'être une personne froide et distante, ... il est très chaleureux avec ses collaborateurs.

2 Complétez le texte avec les mots proposés.
formatrice – connaissances – intervenant extérieur – formation – améliorer – centre de formation – formateur

Aujourd'hui, je commence une ... . J'ai rendez-vous à 10 heures avec le ... ou la ... . Je ne sais pas, on ne m'a pas donné son nom. C'est un ... qui travaille dans un ... . J'espère que je vais ... mes ... en informatique. J'en ai vraiment besoin !

3 Transformez les phrases en mettant le verbe en italique au subjonctif.

a. Vous devez *finir* ce rapport au plus vite !
→ Il faut que vous ...
b. Je n'arrive pas à me *concentrer* sur ce dossier.
→ Il faut que je ...
c. Nous n'avons pas *contacté* le responsable.
→ Il faut que nous ...
d. Tu peux *ouvrir* cette enveloppe ?
→ Il faut que tu ...
e. Je vous ai demandé d'*inviter* tout le personnel.
→ Il faut que vous ...

4 Faites des phrases en utilisant le passé récent : *venir de.*

a. Pierre Bertholon – promu directeur des grands comptes
b. vous – ouvrir une succursale en Espagne
c. le service immobilier – déménager au premier étage
d. nous – fermer le guichet
e. le technicien – réparer le distributeur

5 Écoutez la conversation téléphonique et choisissez la bonne réponse.

a. Nadia appelle :
☐ Formation Pro.
☐ un client étranger.
☐ monsieur Grancher.

b. La formation de monsieur Grancher est :
☐ annulée.
☐ reportée.
☐ confirmée.

c. La formation va se terminer :
☐ plus tôt.
☐ plus tard.
☐ à l'heure prévue.

d. La formation doit durer :
☐ 2 heures.
☐ 3 heures.
☐ 4 heures.

e. Nadia appelle Formation Pro pour demander :
☐ d'annuler la formation.
☐ de ne pas changer l'horaire.

6 Tous les hôtels étaient complets. Avec vos quatre collègues, vous avez dû séjourner dans un petit hôtel. Formulez un avis pour vous et vos quatre collègues.

• *Il n'est pas très joli, ni moderne, les chambres sont petites, bruyantes mais très propres et il est bien situé. Le personnel est adorable, le petit déjeuner est copieux.*

7 Complétez le texte avec les mots proposés.
bilan – améliorer – entretien annuel – promotion – réussites – points forts – augmentation

Aujourd'hui, je passe mon … . Je l'ai préparé. J'ai noté mes …, mes … . J'ai aussi noté ce que je pense devoir … . Dans l'ensemble, mon … est positif. Je vais donc demander une … et pourquoi pas aussi une … ?

8 Écrivez 5 phrases en utilisant pour chacune au moins un mot de chaque liste.

a. entretien – bilan – augmentation – promotion – améliorer – fixer un objectif – un souhait
b. d'abord – ensuite – enfin – cependant – or – de plus – en revanche

9 Transformez les phrases selon le modèle.
• *J'ai entendu que Pierre n'a jamais obtenu son diplôme d'ingénieur.* → *Pierre n'aurait jamais obtenu son diplôme d'ingénieur.*

a. J'ai entendu que notre nouvelle collègue a beaucoup d'expérience.
b. Ils disent que le marché russe est en plein développement.
c. Astrid raconte que nous allons déménager.
d. Il paraît qu'un nouveau directeur arrive la semaine prochaine. Et nous ne sommes pas prévenus !

10 Votre collègue a des problèmes personnels et il n'arrive pas à bien faire son travail. Donnez lui quatre conseils.

• *Tu devrais te reposer.*

11 Pour votre entreprise ou à titre personnel exprimez :

a. un souhait.
b. un sentiment.
c. une obligation.
d. un doute.

12 Écoutez le dialogue. Les phrases sont-elles vraies ou fausses ? Justifiez.

a. L'entretien de François s'est mal passé.
b. Son supérieur a été plutôt sympathique.
c. François a augmenté son chiffre de vente de 7 %.
d. Son chef l'a félicité.
e. François a obtenu une augmentation et une promotion.
f. François va démissionner.

13 Mettez les phrases au passé composé.

a. Il (se rendre compte) de son erreur dans le calcul.
b. Notre banque (se consacrer) à différents produits financiers.
c. Nous (se décider) à ouvrir un compte chez vous.
d. Vous (se rencontrer) dans un salon professionnel.

14 Que pensez-vous de ces affirmations ? Donnez votre opinion

a. Il n'y a plus d'inégalités hommes-femmes dans les entreprises.
b. Pour réussir sa carrière, il faut sacrifier sa vie privée.
c. Il ne faut pas entretenir de relations amicales avec ses collègues en dehors du travail.
d. Plus on est jeune, plus on est efficace dans son métier.

1 Vous venez de changer de poste. La directrice de votre nouvelle entreprise vous accompagne pour votre premier jour. Écoutez la présentation de l'entreprise Aspro par sa directrice, et complétez l'organigramme. Puis situez-vous sur l'organigramme.

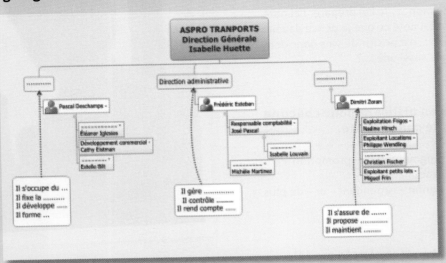

 2 Vous allez bientôt avoir une promotion dans votre entreprise. Vous tombez sur cet article qui attire votre attention. Lisez l'article. Les affirmations sont-elles vraies ou fausses ?

a. Une majorité de personnes pense qu'une promotion est une bonne chose.
b. La santé mentale des managers est meilleure à la suite d'une promotion professionnelle.
c. Les visites médicales des managers promus ont diminué de 20 %.
d. Les managers promus consacrent plus de temps à s'occuper de leur santé.
e. Les managers qui ont obtenu une promotion souffrent moins du stress.

Être promu est mauvais pour la santé

Obtenir une promotion n'est pas aussi bénéfique que ce que la majorité des salariés peuvent penser. Il s'agit de la conclusion d'une étude menée par deux chercheurs britanniques de l'université de Warwick au Royaume-Uni, auprès d'environ 1 000 managers qui ont obtenu une promotion professionnelle en interne ou dans une autre entreprise suite à une mutation. L'étude montre que, suite à une amélioration du statut professionnel, la santé mentale de ces heureux élus diminuait de 10 %. Par ailleurs, leurs visites annuelles chez le médecin diminuaient de 20 %. Cette réduction ne serait pas la cause de la détérioration de l'état de santé mentale, mais serait principalement la conséquence d'une augmentation du stress chez ces managers qui auraient moins de temps pour prendre soin de leur santé.

journaldunet.com, juin 2009.

3 Vous venez d'avoir une réponse favorable à une candidature. Mais vous êtes déjà en poste... Vous hésitez entre accepter le poste ou garder votre emploi actuel. Vous demandez conseil à un(e) ami(e) qui a connu la même situation. Vous lui écrivez un mail.

 4 Racontez comment se passe, dans votre entreprise, l'évaluation du personnel : entretien annuel ? rendez-vous avec le supérieur hiérarchique ? bilans ponctuels ?

 5 Vous venez d'avoir une promotion au sein de votre entreprise, mais vous estimez que votre salaire ne correspond pas à vos nouvelles responsabilités. Vous échangez avec votre supérieur et sollicitez un ajustement de votre salaire. (Le professeur joue le rôle de votre supérieur.)

Mon entreprise s'agrandit

UNITÉ 9

PRÉSENTATION DES CONTENUS

J'analyse le secteur économique, je commente des données chiffrées, je contacte des fournisseurs, je négocie un prix, je lis une facture, je découvre les différents modes de paiement.

J'ai besoin des éléments grammaticaux suivants :
L'écriture des nombres
Les adverbes de quantité et d'intensité
Le pronom « en ».

J'ai aussi besoin des outils lexicaux suivants :
Les nombres
Les commentaires de données chiffrées
Les moyens de paiement

▶ **Tâche, p. 121**
▶ **Phonétique, p. 123**

Mon entreprise s'agrandit

1 Lire des graphiques

Les objectifs pour cette année étaient l'amélioration de la relation client, l'introduction de nouveaux clients au portefeuille des clients de l'entreprise, le développement des produits grand public et l'ouverture à l'export.

(...) Voir transcription p. 139

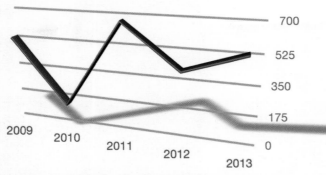

Évolution du chiffre d'affaires (CA), en millions d'euros

Les différentes gammes de produits

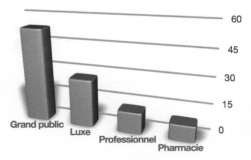

Répartition du chiffre d'affaires par branches, en %

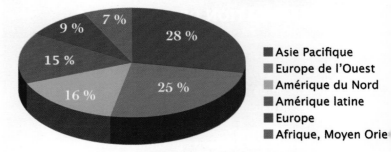

- Asie Pacifique
- Europe de l'Ouest
- Amérique du Nord
- Amérique latine
- Europe
- Afrique, Moyen Orie

Part des exportations pour les produits grand public

Les mots pour

- Une amélioration
- La relation client
- Une ouverture à l'export
- Une exportation / L'export
- La conjoncture économique
- Une baisse ≠ Une augmentation
- Un chiffre d'affaires (CA)
- Une courbe
- Une part
- Un histogramme
- Un graphique (en secteurs)
- Une tendance
- Se maintenir
- En hausse
- Un camembert
- Un marché
- Favorable
- Une diversification

1. Écoutez l'audit en suivant sur les graphiques et répondez.

a. Quelle est l'évolution du chiffre d'affaires ?
b. Quelle est la proportion des produits exportés vers l'Asie ?
c. Quelle branche possède le chiffre d'affaires le plus important ?
d. Quelle était la prévision du chiffre d'affaires pour 2012 ? Que s'est-il passé ?
e. Pourquoi la baisse du chiffre d'affaires a-t-elle été plus importante que prévu ?
f. Quelles sont les recommandations pour 2013 ?

2 Comprendre un bilan

(...) Voir transcription p. 139

Savoir dire

Faire un bilan
- Nous avons investi
- Les recettes sont de...
- Nous dégageons un excédent de...
- Nous enregistrons un bénéfice / un déficit
- Cette tendance se confirme
- Nous reprenons les investissements

2. Écoutez le dialogue et répondez.

a. Quel est le sujet de la discussion ?
b. Pourquoi l'homme est-il satisfait ?
c. Qu'est-ce qu'un déficit ?
d. Complétez le tableau. Où allez-vous indiquer le bénéfice ?

Brico & Associés
Compte financier, mai 2013

Dépenses • Achat de marchandises • Déplacements • Frais divers • ...	... €
Autres dépenses • Investissements • ... • Matériel de bureau	... €
Recettes • Vente de marchandises • ...	... €
TOTAL	... €

3 Découvrir une situation économique

Reportage éco

Dans le domaine de la chaussure, le marché français se porte mal : en 35 ans, la production a chuté (divisée par 6) et le nombre d'employés est 10 fois moins important. Les entreprises de ce secteur sont aujourd'hui 5 fois moins nombreuses : nous sommes passés de 587 à un peu plus de 100. Cette forte baisse s'explique par la concurrence des pays où la main d'œuvre est moins chère. Ceci a entraîné une forte hausse des importations : multipliées par 10 en 35 ans.

3. Lisez l'article et répondez.

a. Quelle est aujourd'hui la situation du marché français de la chaussure ?

b. Comparez la situation actuelle du marché français de la chaussure à celle des années 1980.

c. Pourquoi y a-t-il une hausse des importations ?

4.a. Un apprenant pose des questions à un autre sur la société Monditech (tableau ci-dessous). Jouez la scène à deux.

b. Faites un graphique pour montrer l'évolution du chiffre d'affaires. Commentez-le.

Nom de l'entreprise	• Monditech
Secteur d'activité	• Produits informatiques
Position mondiale	• 15e rang mondial
Effectifs	• 25 500 personnes
CA	• 890 M € en 2012 • 785 M € en 2011 • 610 M € en 2010

GRAMMAIRE

Écrire les nombres

■ En français, on écrit *1,5* et non *1.5*. On sépare les tranches de trois chiffres par un espace.
  • *De **100 000** unités vendues, nous sommes passés à **11 248 750** cette année.*

■ Les chiffres sont en général invariables.
  • *Les **quatre** collègues*

■ **Vingt** et **cent** sont invariables seulement quand ils sont suivis d'un autre nombre.
  • *trois **cent** neuf euros*   mais   *trois **cents** euros*
  • *quatre-**vingt**-cinq*   mais   *quatre-**vingts***

■ **Million** et **milliard** s'accordent toujours.
  • *huit **millions** trois cent ; cinquante **milliards**…*

Voir précis de grammaire p. 127

1 Écrivez les nombres en toutes lettres.

a. Nous avons augmenté le prix de (54) euros.
b. Cette année, notre entreprise fête ses (125) ans.
c. Nous avons acheté (4 200) unités.
d. Nous avons fait (1 250 421) euros de chiffre d'affaires.
e. Cette entreprise exporte dans (37) pays.
f. Ces chaussures coûtent (89) euros.
g. Je travaille dans une société qui emploient plus de (200) personnes.

Mon entreprise s'agrandit

1 Chercher un fournisseur

Monsieur Schmitt : Comme je vous le disais, nous avons de nouveaux partenaires commerciaux en Europe de l'Est. Nous allons ouvrir quatre succursales dans les trois mois à venir. Nous avons besoin d'acheter une grande quantité de caddies.

Monsieur Wendling : Nous avons un stock important dans notre usine alsacienne, mais aussi dans notre centre de production au Portugal. Avez-vous réfléchi au modèle que vous souhaitez acheter ?

Monsieur Schmitt : Oui. Nous voulons acquérir à peu près 5 000 chariots clients de la gamme Xenius.

Monsieur Wendling : Ah oui. Avec la corbeille plastique. Nous avons trois volumes différents : 105, 160 ou 220 litres. Ils sont très résistants, autant que les chariots métalliques traditionnels, et donnent une image de modernité. Nous proposons aussi divers accessoires.

Monsieur Schmitt : Je souhaite les voir avant, mais nous sommes assez pressés. Nos délais d'ouverture sont très courts. Nous avons également contacté d'autres fournisseurs.

(...) Voir transcription p. 139

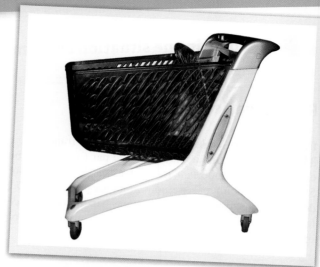

1. Écoutez la conversation téléphonique et répondez.

a. Quel produit monsieur Schmitt veut-il acheter ?
b. Quel modèle souhaite-t-il acheter ? Quelles sont les caractéristiques de ce modèle ?
c. Pourquoi a-t-il besoin de ce produit ?
d. Où est fabriqué ce produit ?
e. À la fin de la conversation, que propose monsieur Wendling à monsieur Schmitt ?

Les mots pour

- Un partenaire
- Une succursale
- Un stock
- Un centre de production
- Acquérir
- Un délai
- Contacter
- Un fournisseur
- Un partenariat
- Une enseigne
- Un siège de société

GRAMMAIRE

Les adverbes de quantité et d'intensité

■ Les **adverbes de quantité** évoquent une quantité indéterminée, évaluée globalement. Il s'agit d'adverbes simples (*assez, aussi, énormément, beaucoup de, autant...*) ou de locutions adverbiales (*à demi, à peine, à moitié, peu à peu, à peu près, pas du tout, tout à fait...*)
- *Il a **beaucoup de** contacts avec la Chine.*
- *Le directeur commercial voyage **à peu près** une fois par mois.*

■ Les **adverbes d'intensité** évoquent le degré plus ou moins haut d'une qualité, d'un état, d'un sentiment (*très, trop, si, assez...*).
- *Il travaille **très** dur pour trouver de nouveaux fournisseurs.*

1 Complétez le texte avec : *à peine – assez – peu à peu – si – beaucoup – très – énormément.*

Pierre a une entreprise de marketing qui marche ... bien : il vend des parfums pour les magasins, ces parfums qui font que les boutiques sentent ... bon. À ses débuts, il avait ... peu de clients : ... deux ou trois. Puis, ... il a commencé à se faire connaître et à diversifier ses produits. Il a cherché des partenaires, il s'est ouvert à l'international et a tout de suite eu ... de succès. Maintenant Il s'est lancé dans la commercialisation d'autres produits ... plus originaux.

2 Vous présentez un nouveau produit à un client : l'ampoule solaire. Utilisez des adverbes d'intensité et de quantité. Vous parlez de sa durée de vie, de son prix, de sa puissance...

2 Qu'est-ce que le sourcing ?

www.sourcing&co.fr

Vous voulez vous ouvrir à l'international
et multiplier vos chances ?

→ **SOURCING & CO**

Accueil | Achats | Savoir-faire | Références | Contact

Nous vous mettons en contact avec des fournisseurs soigneusement sélectionnés par nos soins partout à travers le monde.

▸ Clé USB
▸ DVD
▸ Disque Blu-Ray
▸ Composants électroniques
▸ Tablettes

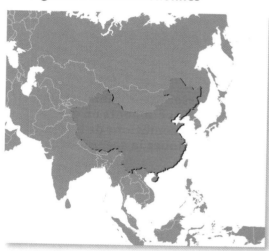

**Profitez de notre savoir-faire et de nos 3 agences en Chine.
Soyez compétitif : ne passez pas à côté des opportunités commerciales !**

Le sourcing : acheter à prix compétitif en toute confiance !

2. Lisez le document et répondez.

a. Qu'est-ce que le sourcing ?
b. Où l'entreprise Sourcing & CO est-elle présente ?
c. Que propose Sourcing & Co ?
d. Quel est l'intérêt de faire appel à Sourcing & Co ?

Les mots pour

- Le sourcing
- Une ouverture à l'international
- Compétitif
- Mettre en contact
- Sélectionner
- Une opportunité

▶ **3. Jouez la scène à deux. Vous travaillez à la chambre de commerce et vous répondez à un client d'une société française qui cherche un fournisseur de jouets à l'étranger. Pour vous aider, voici quelques normes de sécurité : pas de produit toxique – pas de petits éléments détachables pour les jouets premier âge – non inflammable – pas d'éléments coupants...**

1 Une négociation

Monsieur Schmitt : Nous avons décidé de commander 6 000 unités, dont 500 chariots avec l'accessoire siège bébé incorporé. À combien estimez-vous les délais de livraison ?

Monsieur Wendling : En principe, pour l'Europe de l'Est, il faut compter vingt jours.

Monsieur Schmitt : Cela me semble bien. Pour ce qui est du paiement, nous réglons à 45 jours, à partir de la date d'émission de la facture.

Monsieur Wendling : Notre politique pour ce qui est du paiement est assez stricte...

(...) Voir transcription p. 139

Les mots pour

- Un délai de livraison
- Un paiement
- Régler
- Une date d'émission
- Une facture
- Une commande
- Une exception
- Une remise / Un rabais / Une réduction
- Un achat en gros
- Un coût de production
- Une livraison
- Le solde
- Des frais de port
- Des frais de douane
- Faire affaire

1. Écoutez le dialogue et répondez.

a. Quel produit achète le client ? Quelle quantité ?
b. Quels sont les délais de livraison ?
c. Que demande le client ?
d. Quelle est la remise proposée par le fournisseur ?
e. Quels sont les autres frais à payer par le client ?

2. Vous passez une commande par téléphone de vêtements en gros et discutez des conditions de livraison, des tarifs... Jouez la scène à deux.

Vêtement pour enfants		Prix unitaire
Pull		9,23 €
Jean		15,26 €
Tee-shirt		5,64 €
Chaussures		18,89 €

2 Une facture

3. Observez la facture et répondez.

a. Qui est le client ? Et le fournisseur ?
b. Combien de crayons le client achète-t-il ? Quel est le prix d'un crayon ?
c. Sur quels articles y a-t-il une remise ?
d. Quel est le taux de TVA ?
e. Combien le client devra-t-il payer en tout ?
f. Quand le client sera-t-il livré ?

Les mots pour

- Une quantité (Qté)
- Un prix à l'unité
- La TVA (taxe sur la valeur ajoutée)
- Un prix HT (hors taxes)
- Un prix TTC (toutes taxes comprises)
- Un paiement anticipé
- Une pénalité de retard

TOUT POUR LE BUREAU SARL
11, rue de la Gare
44100 Nantes

Ets Pierre et Fils
24, rue de l'Église
29000 Quimper

Facture n° 2287
Date : 18/04/13

FACTURE

Détail	Qté	Prix Unité HT	Remises	Montant
				87,50
Feuilles A4	50	1,75		33,75
Feuilles A3	15	2,25	5 %	99,75
Crayon	150	0,70		169,00
Agrafeuse	20	8,45		9,50
Gomme	50	0,20	5 %	
			Total HT	399,50 €
			TVA	5,5 %
			Total TTC	**421,47 €**

Délai de livraison : 15 jours
Date de paiement : 20 jours après livraison
Paiement anticipé : - 3 % sur prix TTC
Pénalités de retard : 5 % sur prix TTC

3 Le relevé d'identité bancaire

4. Obervez les documents et répondez.

a. À qui appartient la carte de paiement ?
b. Quel est le nom de la banque ?

RELEVÉ D'IDENTITÉ BANCAIRE (RIB)

Code banque	Code guichet	Numéro compte	Clé RIB	Domiciliation
01023	00221	123456789A	12	Crédit du Sud Agence de la Paix Strasbourg

IBAN	FR01	4321	1234	3456	5678	6789	A12
BIC	ASWEDCFR						

Titulaire : Monsieur Chris Walther

Nom :

Prénom :

Carte de paiement :
- ○ VISA
- ○ MasterCard
- ○ American Express
- ○ Autres cartes

Numéro de carte :

Date d'expiration :

Valider

Crédit du Sud

8955 8800 0022 1122

EXPIRE A FIN 08/16
M. CHRIS WALTHER   CARTE +

5. Observez le RIB et la carte de paiement. Complétez le formulaire de paiement en ligne.

6. Vous téléphonez à l'imprimerie. Vous commencez par confirmer votre commande de dépliants publicitaires. Puis, l'employé vous demande des renseignements pour effectuer le paiement par téléphone.
Jouez la scène à deux.

4 Une facture impayée

 (...) Voir transcription p. 140

7. Écoutez le dialogue et répondez.

a. Qui Alice Mestre appelle-t-elle ? Pourquoi ?
b. Quel était le produit ou le service acheté ?
c. Grégoire Martino a-t-il déjà été averti qu'il n'avait pas réglé la facture ? Justifiez.
d. Quel est le montant à payer ?
e. Comment Grégoire Martino va-t-il régler la facture

Les mots pour

- La facturation
- Une facture impayée / non réglée
- Une relance
- Verser un acompte
- Un devis
- Un virement bancaire

GRAMMAIRE

Le pronom « en »

■ Le pronom *en* remplace un complément introduit par :
– *un, une, des*, ou par *du, de la, de l'*.
  • *Vous avez signé des contrats.* → *Non, je n'en ai pas signé.*
  (= des contrats)
  • *Il y a du travail ?* → *Oui, il y en a.* (= du travail)
– la préposition *de*.
  • *Vous avez besoin d'un RIB ?* → *Oui, j'en ai besoin.* (= d'un RIB)
– un mot de quantité.
  • *Vous connaissez beaucoup de fournisseurs en Chine ?* → *Oui, j'en connais beaucoup.* (= de fournisseurs)
  • *Il a obtenu peu de réduction sur ce produit ?* → *Non, il en a obtenu beaucoup.* (= de réduction)

1 Répondez en remplaçant le complément souligné par le pronom « en ».

a. Vous avez ouvert <u>un compte</u> chez nous ? Oui, ...
b. Vous fait <u>des bénéfices</u> cette année ? Oui, ...
c. Vous avez contacté <u>des fournisseurs</u> en Chine ? Non, ...
d. Est-ce que vous voulez <u>des chèques de voyages</u> pour votre prochain déplacement ? Oui, ...
e. Vous avez reçu <u>un relevé bancaire</u> ce mois-ci ? Non, ...

Mon entreprise s'agrandit

Michel et Augustin : un exemple de réussite !

Rencontrés sur les bancs du collège, Augustin Paluel-Marmont et Michel Rovira, jeunes trentenaires, ont créé en 2005 une marque à leur effigie qui bouscule les codes de l'agro-alimentaire...

« *Vous n'avez aucune chance face aux poids lourds de l'agro-alimentaire* », cette phrase, les deux fondateurs de Michel et Augustin l'ont entendue plus d'une fois. Cela ne les a pourtant pas empêchés de se lancer et de réussir leur pari puisque six ans plus tard, ils sont à la tête d'une marque à succès enregistrant un chiffre d'affaires de 10 millions d'euros et employant 27 salariés.

La recette de ce succès ? Tout d'abord, des produits de qualité, gourmands et sains, fabriqués en France à base d'ingrédients naturels. Mais aussi une stratégie de communication très en phase avec les attentes des jeunes actifs. Les deux fondateurs n'hésitant pas à se mettre en scène dans des vidéos faussement naïves diffusées sur YouTube et Facebook (où ils comptent quelque 25 000 fans) pour promouvoir leurs produits, allant jusqu'à imiter Michaël Jakson et à parodier Georges Clooney [...]

C'est après une carrière dans une banque d'affaire new-yorkaise pour Michel et un passage par les nouvelles technologies pour Augustin, que les deux amis d'enfance se retrouvent (ils ne s'étaient jamais vraiment perdus de vue) en 2003 pour écrire un *Guide des boulangeries de Paris*. En parallèle à la rédaction du livre, Augustin se forme à la boulangerie et le projet de concevoir leurs produits prend progressivement forme. Après de nombreux essais dans la cuisine d'Augustin, les deux amis testent leur premier sablé chez l'épicier du coin. Le succès est au rendez-vous et l'aventure est lancée ! [...]

Diffusés dans près de 6 000 points de vente à travers la France, les produits Michel et Augustin sont également présents dans plus de 400 points de vente à l'étranger. En Belgique, en Suisse et au Luxembourg mais aussi au Japon, en Russie et aux États-Unis où les produits se vendent dans leurs emballages d'origine entièrement rédigés en français. Une *french touch'* dont les consommateurs japonais raffolent et qui a su séduire jusqu'au gros distributeur américain Deluca.

Virginie Oks, *Actualité en France*, n° 7, mars 2011.

1. Qui sont Michel et Augustin ?
2. Comment ont-ils réussi à se faire connaître ?
3. Dans quel pays trouve-t-on les produits de Michel et Augustin ?
4. Que pensez-vous de leur parcours ?

PROVERBES ET EXPRESSIONS

- *Il n'y a pas de petites économies.*
- *L'argent ne fait pas le bonheur.*
- *Amis valent mieux qu'argent.*
- *Ce que l'argent a défait, l'argent le refait.*

1. Essayez d'expliquer les proverbes.
2. Traduisez en français quelques proverbes de votre langue qui parlent d'argent.

Un concours pour aider les jeunes à créer leur entreprise

Le mouvement « 100 jours pour entreprendre » organise un concours afin d'aider les jeunes à créer leur entreprise, jusqu'au 25 mai.
« 100 jours pour entreprendre » est animé par trois réseaux d'entrepreneurs qui se mobilisent pour accompagner les jeunes porteurs de projet. Le mouvement lance ainsi un concours à destination des jeunes qui souhaitent entreprendre : « Tu veux monter ta boîte ? Gagne-là ! ».

Faire le buzz
Jusqu'au 25 mai, tous les jeunes de 18 à 25 ans peuvent envoyer une vidéo de leur projet de création d'entreprise sur http://www.100jourspourentreprendre.fr et développer une stratégie de buzz pour obtenir un maximum de votes.

Une box d'une valeur de 5 000 euros
Un jury composé de professionnels désignera les 10 meilleurs projets parmi les 30 vidéos ayant comptabilisé le plus grand nombre de votes. Les gagnants remporteront chacun une box d'une valeur de 5 000 euros, comprenant notamment un compte bancaire de 2 500 euros, un smartphone avec un abonnement de deux ans, un accompagnement juridique et comptable et le coaching d'un entrepreneur pendant un an.

1. Quel est le but de ce concours ?
2. Que remporte le gagnant ?

Julie Tadduni, 19 février 2013, http://www.courriercadres.com

Combien vous gagnez ?

En France, parler d'argent reste un thème tabou, c'est-à-dire dont il ne faut pas parler... Et particulièrement dans un contexte professionnel ! Parler d'argent au travail risque de provoquer des réactions négatives : jalousie, rumeurs, reproches...
Ce n'est pas le cas partout : aux États-Unis, par exemple, on aborde le thème avec naturel, de même qu'au Brésil. Parler de primes et d'augmentations est habituel. Dans les Émirats, la franchise va encore plus loin : l'argent est un sujet de conversation obligé. La rémunération est d'ailleurs le premier point traité dans l'entretien d'embauche ! En revanche, en Chine on ne parlera jamais d'argent au travail car cela est très mal vu : pour obtenir une augmentation de salaire, le Chinois attend que son supérieur la lui propose !

1. Dans quels pays parle-t-on facilement d'argent au travail ? Et dans quels pays ne faut-il pas parler d'argent ?
2. Dans votre pays, quels sont les usages ?

Comment payez-vous ?

Pour dire que l'on paye avec des pièces ou des billets, on dit que l'on paye « en liquide ». Avoir du liquide, c'est avoir des pièces et des billets dans son porte-monnaie. Dans le monde des affaires, « avoir des liquidités », c'est avoir de l'argent disponible. Lorsqu'on paye une somme importante en une seule fois, on dit que l'on paye « cash ». C'est un anglicisme employé dans le langage familier.

1. Dans votre langue, y a-t-il une expression pour dire que l'on paye avec des pièces et des billets ?

Entraînement aux examens

DELF Pro
CFP affaires

1 **Écoutez la conversation téléphonique entre le responsable des achats et un fournisseur, puis répondez aux questions.**

a. Complétez le tableau avec les tarifs proposés par le fournisseur.

	Palette de 50 boîtes	Palette de 70 boîtes	Palette de 100 boîtes
Prix normal			
Prix avec remise			

b. Combien de boîtes veut acheter le responsable des achats ? Quel est le prix annoncé par le fournisseur ?

c. Que propose alors le fournisseur au responsable des achats ?

d. Pourquoi le responsable des achats ne peut-il pas acheter la quantité proposée par le fournisseur ?

e. Combien d'unités achète-t-il finalement ? À quel prix ?

2 **Vous trouvez ce document, sur votre bureau, en arrivant au travail. Répondez aux questions.**

a. Qui a écrit ce message ?

b. Quelles sont les données qui apparaissent sur ce document ? Donnez une réponse précise.

c. Quelles sont les informations que souhaite avoir le directeur ?

d. Que doit faire Éric ?

> *Éric, voici les derniers chiffres que m'a transmis la compta. Tu peux me faire un bilan ? Le directeur demande des explications...*
>
> **Résultats des ventes 2e trimestre**
> - Produits marque propre : 25 040 € (+3,2 % / 1er trim.)
> - Produits haute gamme : 12 750 € (-7,8 % / 1er trim.)
> - Produits pour hôtels : 52 255 € (-2,7 % / 1er trim.)
>
> *il veut savoir où est le problème... Pourquoi cette baisse ??*
>
> **Exportations**
> Tous produits : + 7,8 %   *il aimerait le détail*
> Produits marque propre : + 5,5 %
>
> *Paul*

3 **À partir de l'exercice précédent, rédigez le mail de confirmation du responsable des achats au fournisseur, puis la réponse du fournisseur.**

4 **Racontez un parcours professionnel qui vous paraît extraordinaire d'une personne que vous connaissez ou dont on vous a parlé.**

5 **Vous prenez contact avec un fournisseur pour acheter du matériel de bureau (rames de papier, toner et cartouches d'encre pour les imprimantes, matériel de bureau...). Vous essayez d'avoir des réductions sur le prix que vous communique le fournisseur. (Le professeur joue le rôle du fournisseur.)**

Les nouvelles perspectives

UNITÉ 10

PRÉSENTATION DES CONTENUS

Je comprends la mondialisation, je situe économiquement une entreprise, je parle de l'écologie.

J'ai besoin des éléments grammaticaux suivants :
La phrase exclamative
Le discours indirect
Le plus-que-parfait

J'ai aussi besoin des outils lexicaux suivants :
L'économie, les marchés
Le secteur du BTP (bâtiment et travaux publics)
Les métiers du BTP
L'écologie

▶ **Tâche, p. 121**
▶ **Phonétique, p. 123**

1 Découvrir un secteur économique
(...) Voir transcription p. 140

Production dans le BTP
123 milliards d'euros pour le bâtiment
38,8 milliards d'euros pour les travaux publics

Salariés
1 462 275 salariés
69,7 % ouvriers
21,1 % employés, techniciens...
9,2 % ingénieurs...

Entreprise
479 627 entreprises, dont 87 % ont moins de 6 salariés

Source : www.metiers-btp.fr

1. Écoutez le dialogue, observez l'infographie et répondez.
a. Que signifie BTP ?
b. Quelles sont les activités du secteur du BTP ?
c. Citez les grands groupes français de BTP.
d. Comparez la production pour le bâtiment et pour les travaux publics.
e. Quelle catégorie de salarié est la plus importante dans le bâtiment ? Et la moins importante ?

GRAMMAIRE

La phrase exclamative

■ Elle se caractérise à l'écrit par un point d'exclamation et, à l'oral, par l'intonation. Elle sert à traduire des sentiments ou des émotions. Elle peut prendre des formes différentes.

■ Des phrases verbales ou non verbales, introduites par *que, comme* ou *qu'est-ce que.*
• *Comme* c'est intéressant ! / *Qu'est-ce que* c'est intéressant !
• *Que* de travail !

■ Des phrases introduites par *quel, quelle, quels, quelles.*
• *Bravo ! Quels* résultats ! / *Quelle* réussite !

■ Des phrases introduites par *attention.*
• *Attention* au chantier !

■ Des phrases à l'impératif, à la forme affirmative ou négative.
• *Regardez* ces chiffres ! / *Ne m'interrompez pas* !

Les mots pour

• Le BTP (bâtiment et travaux publics)
• Un secteur d'activité
• Une construction
• Privé(e)
• Public (publique)
• Une installation
• Une infrastructure
• Un artisan
• Un ouvrier / Une ouvrière
• Un(e) employé(e)
• Un(e) technicien(e)

1 Complétez les phrases avec : *que – quel(s), quelle(s) – comme – qu'est-ce que*

a. ... c'est énorme ! 10% des salariés travaillent dans le BTP !
b. Vous avez vu les chiffres pour le bâtiment ? ... résultats !
c. ... c'est intéressant ! J'ai aussi lu les remarques en bas de la page.
d. ... excellente nouvelle ! Nous ouvrons une délégation à Alger !
e. ... je suis fatigué ! J'ai préparé le dossier toute la soirée.

2 Le secteur du BTP

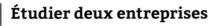
❶

❷

2. Observez les photos et répondez.

a. Qu'est ce qui est en construction sur la photo 1 ? Et sur la photo 2 ?
b. À votre avis, à quel secteur appartient chacune des photos : bâtiment ou travaux publics ? Pourquoi ?

3 Étudier deux entreprises

GROUPE LÉON GROSSE

→ Entreprise familiale fondée en 1881 à Aix-les-Bains.

→ DES CHIFFRES CLÉS

Chiffre d'affaires : plus de 700 millions d'euros en 2012.
Effectif : l'entreprise compte 3 000 personnes réparties dans 40 agences ou filiales partout en France.
Léon Grosse intervient en France dans différentes activités du bâtiment et des travaux publics.

→ DE NOUVELLES PERSPECTIVES

• *Construction de deux stades, à Paris et à Saint-Étienne.*
• *Développement durable : insertion des personnes en difficulté et des personnes à mobilité réduite.*
• *Création de nouvelles agences en France.*
• *Présence sur les grands marchés nationaux.*

GROUPE VINCI

→ Entreprise créée en 1899 par deux ingénieurs.

→ DES CHIFFRES CLÉS

Chiffre d'affaires : près de 37 milliards d'euros en 2011.
Effectif : plus de 183 000 personnes dans une centaine de pays. Vinci conçoit, construit, finance et gère la construction d'équipements de transport, bâtiments publics et privés et aménagements urbains partout dans le monde.

→ DE NOUVELLES PERSPECTIVES

• *Rénovation complète d'un bâtiment du château de Versailles, le Grand Commun.*
• *Gestion de dix-huit parcs de stationnement au Canada.*
• *Maintenance de postes électriques en Arabie Saoudite.*
• *Conception et construction d'une infrastructure de télécommunications en Pologne.*

3. Lisez les fiches et répondez.

a. Quand chacune des deux entreprises a-t-elle été créée ? Par qui ?
b. À quel secteur ces entreprises appartiennent-elles ?
c. Comparez les chiffres d'affaires et les effectifs des deux entreprises ?
d. Dans quels pays intervient chaque entreprise ?
e. Quels sont les projets pour chacune de ces entreprises ? En quoi ces projets sont-ils différents ?

4. Observez le descriptif des entreprises Vinci et Léon Grosse. Associez chaque mot proposé à une des ces deux entreprises.

expansion – filiales régionales – internationalisation – entreprise multinationale – marché local – entreprise familiale – échelle régionale et nationale

5. À l'oral, faites une présentation de la société In'Oya.

SOCIÉTÉ IN'OYA

Date de création : 5 septembre 2011
Fondateur : Abd Haq Bengeloune
Produit principal : premier soin anti-taches et sans effets secondaires pour peaux noires et métissées.
Présence : PACA (Nice, Marseille, Cannes et Aix-en Provence).
Mots-clés : innovation – recherche – respect de l'environnement.
Perspectives et projets : importants partenariats au sein des laboratoires de recherches publiques pour concevoir les meilleurs produits possibles – développement sur le marché national et européen.

1 La mondialisation, qu'est-ce que c'est ?

« Je viens de m'acheter une voiture japonaise, avec un moteur allemand fabriqué à Singapour. Je bois un excellent vin grec élaboré à partir d'un cépage espagnol, et parfois je sirote un whisky écossais devant ma télé américaine. Le pédiatre de mes enfants est brésilien, mais il a fait ses études à l'*Imperial College* de Londres. Et qu'est-ce que je suis sans ma tablette et sa technologie coréenne, mais dont les pièces, taïwanaises, sont montées dans une usine indienne ? »

1. Écoutez et répondez.

a. Quels sont les pays ou les continents cités ?
b. Quels sont les produits cités ? Associez les produits à leur origine.
c. Quel est le ton de ce texte ?

2 La mondialisation et l'entreprise

Journaliste : Pour notre dossier sur la mondialisation, deux personnes m'accompagnent ce soir : Michel Duchesne, expert en économie et directeur général d'une PME, et Abdel Camara, professeur d'économie et gestion à l'université d'Angers. Bonsoir messieurs.
(...) Voir transcription p. 140

2. Écoutez le dialogue et répondez.

a. Quels est le sujet abordé dans ce débat radiophonique ?
b. Qui participe au débat ?
c. Quel est, selon Michel Duchesne, le premier changement produit par la mondialisation sur les entreprises ?
d. Abdel Camara évoque d'autres conséquences de la mondialisation, lesquelles ?
e. Quelles sont les conséquences des nouvelles contraintes financières selon Michel Duchesne ?

GRAMMAIRE

Le discours indirect

■ Il sert à rapporter des paroles ou des pensées.
• *Le directeur* **pense** *que la mondialisation* **est** *une bonne chose.*
    présent   →   présent
• *L'ingénieur* **a répondu** *qu'il* **n'était** *pas d'accord.*
    passé-composé   →   imparfait
• *Il demande* **si** *vous participez à la réunion.*
• *Il demande* **quand/où** *se déroule le séminaire.*

Les mots pour

- La mondialisation
- Un système économique et financier
- Un cadre
- La gestion de projets
- Une différence culturelle
- Une perspective
- Une intégration
- Un effectif
- Une localisation étrangère
- Un impact
- Une harmonisation
- Une négociation
- Laborieux / Laborieuse
- Un accord
- La gestion des ressources humaines (RH)
- Crucial(e)
- Une réforme
- Une contrainte
- Mettre en péril
- L'internationalisation
- Un fléau
- Une opportunité

1 Transformez les phrases comme dans l'exemple.

• *Il faut mettre en place de nouvelles stratégies commerciales.*
  → *Il pense qu'il faut mettre en place...*

a. Je ne suis pas d'accord avec votre analyse sur la mondialisation. → Il a répondu qu'...
b. Notre entreprise a su faire face aux nouveaux défis internationaux. → Il estime que...
c. Les contraintes financières ont entraîné des licenciements chez nous. → Il a dit que...
d. J'ai dû apprendre des langues étrangères. → Il a expliqué que...
e. Beaucoup de mes collègues sont partis travailler à l'étranger. → Il a raconté que...

3 Le mouvement des Indignés

Qui sont « los Indignados » ?

L'homme [...] sur cette photo est un « indigné » belge. Il porte un masque symbolisant sa révolte. Comme lui, ils sont des milliers dans le monde à manifester leur mécontentement face aux dirigeants de leurs pays. Mais qui sont ces Indignés, et contre quoi sont-ils en colère ? [...]

Qui sont-ils, ces Indignés ?

En mai 2011, des manifestants espagnols se réunissent sur l'une des plus grandes places de la capitale espagnole. Ils installent un campement et restent jour et nuit sur cette place pendant un mois. Leur but ? Protester contre la façon de gouverner de leurs dirigeants. Ces manifestants ont été appelés « les Indignés », « *los Indignados* », en espagnol.

Aux quatre coins de la planète, des militants se sont reconnus dans les revendications des manifestants espagnols. À Londres, à New York ou encore à Québec, des groupes se sont formés pour réclamer un monde plus juste.

Contre qui sont-ils en colère ?

Les Indignés sont en colère contre les dirigeants. Ils ne se sentent pas pris en compte par les hommes et les femmes politiques. Leurs conditions de vie se dégradent de plus en plus depuis le début de la crise, et ils se sentent délaissés.

Ils réclament un changement. Ce qu'ils veulent, eux, c'est un monde dans lequel tous les citoyens auraient accès à la santé et à l'éducation et où chacun aurait droit à un logement. [...]

Y a-t-il des Indignés en France ?

Oui, comme dans la plupart des capitales européennes, le mouvement les Indignés s'est développé en France. Les Indignés se réunissent régulièrement à La Défense. Ce quartier est symbolique : c'est là que sont installées les grandes entreprises et les banques françaises. Mais le mouvement des Indignés en France est moins important qu'en Espagne, où le taux de chômage des jeunes diplômés est particulièrement élevé. Ce sont ces jeunes sans travail qui protestent contre le gouvernement.

Coline Arbouet, 14 mai 2012, www.1jour1actu.com

3. Lisez l'article et répondez.

a. Où est né le mouvement des Indignés ?
b. Ce mouvement s'est-il répandu ? Où ?
c. Contre quoi et contre qui les Indignés protestent-ils ?
d. Pourquoi les Indignés sont-ils en colère ?
e. Quelle différence y a-t-il entre les Indignés espagnols et les Indignés français ?
f. Les Indignés sont-ils favorables à la mondialisation ? Justifiez.

Les mots pour

- Les indignés
- Symboliser
- Une révolte
- Un mécontentement
- Un(e) militant(e)
- Une revendication
- Les conditions de vie
- Se dégrader
- La crise
- Un taux de chômage
- Protester

1 L'éco entreprise

(...) Voir transcription p. 141

Stopôgaspillage

1. Écoutez le dialogue et répondez.

a. Combien de personnes sont à l'origine de la création de l'entreprise Stopôgaspillage ? Qui sont-elles ?
b. Expliquez en une phrase l'activité de cette entreprise ?
d. Comment Christophe Foucaud a-t-il commencé dans les affaires ?
e. Pourquoi les débuts n'ont-ils pas été faciles ?
f. Pensez-vous que cette entreprise est utile ? Justifiez votre réponse.

2. Complétez les phrases avec des mots de l'interview.

a. Stopôgaspillage est une ..., c'est-à-dire une jeune entreprise qui innove.
b. Si vous faites vos courses de manière intelligente, vous êtes respectueux pour l'... .
c. Son parcours ... a connu beaucoup de difficultés mais aussi de belles rencontres.

Les mots pour

- Un co-fondateur
- Une start-up
- Une plateforme web
- Le gaspillage
- Respectueux/se
- L'environnement
- Démarquer
- Un processus d'élaboration
- Un intérêt vert
- L'entrepreneuriat
- Un associé
- Un partenaire
- Une communauté

GRAMMAIRE

Le plus-que-parfait

■ Le plus-que-parfait sert à indiquer qu'un événement passé est antérieur à un autre événement passé. Il se forme avec l'auxiliaire *être* ou *avoir* à l'imparfait suivi du participe passé.
- *Hier, j'ai rencontré un jeune entrepreneur. Je l'**avais appelé** la veille et on s'**était donné** rendez-vous.*

1 Mettez les verbes au plus-que-parfait.

a. Il (fonder) son entreprise avant de s'installer Belgique.
b. J'ai acheté des produits pas chers. Je (voir) ces produits sur le site Stopôgaspillage.
c. Quand vous êtes arrivés, l'interview (terminée).
d. Nous avons revu les entrepreneurs que nous (rencontrer) l'année dernière.
e. Elle a répondu à la proposition que les associés lui (faire).

3 Agir pour l'environnement au bureau

Le covoiturage

Pour aller et venir au travail, regroupez-vous à plusieurs dans un même véhicule. Une seule voiture pollue moins que plusieurs, le trajet coûte alors moins cher et c'est plus sympathique !

L'ordinateur

En utilisant un ordinateur portable, on consomme moins qu'en utilisant un poste fixe (50 à 80 %). Il faut penser à utiliser le mode veille qui réduit également la consommation. On peut encore faire des économies d'énergie en réduisant la luminosité de l'écran.

Les réunions

Privilégiez les visio-conférences et les réunions téléphoniques. Vous éviterez ainsi de perdre du temps dans les transports et, surtout, vous ne consommerez pas de carburant et vous ne polluerez pas l'atmosphère.

2 Les déchets du travail

Des chiffres très éloquents

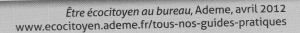

La vie de bureau, c'est le quotidien pour beaucoup d'entre nous : nous sommes environ 13 millions d'employés de bureau et administratifs en France, soit 46 % de la population active.

Le bureau, c'est aussi plus de 175 millions de m² de bâtiments, qui consomment 275 kWhEP / m².an, dont 56 % pour le chauffage et 32 % pour les usages spécifiques de l'électricité.

Avec un trajet moyen domicile-travail de 15 km, nous parcourons chaque année 6 600 km pour aller travailler, soit la distance Paris-New Dehli, ce qui provoque l'émission d'environ 1,4 tonne de CO_2 par personne.

Ce secteur d'activité crée enfin une quantité de déchets imposante : pour prendre l'exemple des déchets papiers, les Français, au bureau, en produisent chaque année 900 000 tonnes.

Réfléchir et agir pour réduire les pressions sur l'environnement des activités de bureau est essentiel et potentiellement payant. La politique des entreprises, des administrations, des collectivités, doit générer ou accompagner les dynamiques et fixer les cadres de comportements plus écologiques. Mais, en tant que cadres ou employés, nous avons le pouvoir d'être initiateurs, prescripteurs et bien sûr acteurs dans ce domaine, en prise directe avec notre vie de tous les jours au travail.

Être écocitoyen au bureau, Ademe, avril 2012
www.ecocitoyen.ademe.fr/tous-nos-guides-pratiques

3. Lisez le texte et répondez.

a. Combien la France compte-t-elle d'employés de bureau ?
b. Quelles sont les conséquences des déplacements domicile-travail ?
c. Combien de tonnes de déchets papier les Français produisent-ils au bureau chaque année ?
d. Comment les employés de bureau peuvent-ils agir pour préserver l'environnement et pour avoir une attitude écologiquement responsable ?
e. Quelle distance parcourez-vous par jour pour vous rendre à votre lieu de travail / d'études ? Combien cela représente-t-il par an ?

Les mots pour
• Un(e) employé(e) de bureau
• Un(e) employé(e) administratif
• La population active
• Consommer
• Un usage spécifique
• L'émission de CO_2
• Un déchet
• Agir
• Potentiellement
• Une collectivité
• Générer
• Une dynamique
• Écologique
• Un cadre
• Être initiateur
• Être prescripteur

Le papier
Utilisez les feuilles de papier recto-verso. Imprimez les messages et les documents quand c'est vraiment nécessaire. Et dans votre corbeille, séparez les papiers des autres déchets !

4. Lisez le document et répondez.

a. Pourquoi en faisant une réunion téléphonique on agit pour l'environnement ?
b. En quoi consiste le covoiturage ?
c. Pourquoi est-il intéressant d'utiliser un ordinateur portable plutôt qu'un ordinateur fixe ?
d. Comment peut-on réduire la consommation énergétique des ordinateurs ?
e. Que faire pour utiliser moins de papier au bureau ?

Les mots pour
• Le covoiturage
• Un véhicule
• Polluer
• Un carburant
• Un ordinateur portable/fixe
• Le mode veille
• Réduire
• Une économie d'énergie
• La luminosité
• Recto-verso

Apprendre le français au Brésil, c'est écologique !

L'Alliance française de Botafogo, au nord de Rio de Janeiro, va s'agrandir. Elle est devenue, en mai 2013, le nouveau siège de la Délégation générale des Alliances françaises au Brésil.

C'est la première Alliance française écologique ; elle bénéficie du label AQUA, un label qui garantit la qualité environnementale du bâtiment. L'Alliance possède un toit végétal, un système de récupération de l'eau de pluie, des panneaux photovoltaïques, des sols dans du matériel recyclé... C'est grâce à la collaboration de grandes entreprises françaises comme EDF, Lafargue, Michelin, Total, Leroy Merlin et Saint-Gobain que ce projet a pu voir le jour. Pour ces sociétés, ce projet représente une vitrine de leur savoir-faire dans la construction écologique. L'Alliance française montre son désir d'accompagner la ville de Rio dans ses nouvelles priorités environnementales, au lendemain de la conférence internationale sur le développement durable Rio+20 qui s'est tenue en juin 2012. C'est aussi l'occasion, pour l'Alliance française, de renforcer auprès des Brésiliens, mais aussi au niveau international, sa belle image, celle d'une école de langues de qualité et en même temps celle d'une institution respectueuse de l'environnement. À Rio, l'écologie parle aussi français.

1. De quelle Alliance Française est-il question dans ce texte ?
2. Quelle est sa particularité ?

LA PRESSE ÉCONOMIQUE FRANCOPHONE

En février 2010, *La Vie économique* souffle nonante bougies. Depuis son lancement en 1920, ce magazine bilingue a rendu compte de toutes les grandes évolutions économiques, politiques et sociales de la Suisse. Durant ces neuf décennies, *La Vie économique* – Revue de politique économique a parcouru un long chemin. Elle a fait peau neuve à plusieurs reprises. L'écriture journalistique, le titre, la ligne graphique, le concept et la structure ont beaucoup changé et se sont modernisés. Aujourd'hui, la revue propose une mise en page très contemporaine. De plus, une version électronique peut être consultée sur Internet.

http://www.lavieeconomique.ch.

1. Dans quel pays francophone est publié *La Vie économique* ?
2. Quels changements a subi *La Vie économique* depuis sa création ?
3. Connaissez-vous d'autres revues économiques francophones ? Si oui, lesquelles ?

Un journal consacré à l'économie locale

Évidemment, ce n'est pas long deux ans pour un journal, juste le temps pour s'installer dans le paysage. Aujourd'hui, Le Périscope est attendu dans les deux zones économiques Est et Ouest de Mulhouse et environs.

Ce qui intéresse le lecteur, c'est son environnement proche, et toute initiative qui contribue à créer du lien, à rapprocher des personnes qui se croisent mais ne prennent pas le temps de se parler. D'où un journal papier et des rencontres : les Apériscopes.

Le Périscope est né de l'initiative privée d'entrepreneurs aux métiers complémentaires qui ont voulu faire bouger les cadres habituels de l'information et de la rencontre entre acteurs économiques locaux.

http://www.le-periscope.info, 10 mars 2011.

1. Qu'est-ce qui intéresse les lecteurs du *Périscope* ?
2. Quelle est la zone de diffusion du *Périscope* ?
3. Selon vous que désigne le terme « Apériscope » ? Comme est-il formé ?

Jouer collectif pour les déplacements

Les déplacements professionnels et les trajets domicile/travail occasionnent 12 millions de tonnes d'émission de CO_2 chaque année. C'est le premier poste d'émission de gaz à effet de serre des activités de bureau. Il est 2,4 fois plus important que celui des émissions des bâtiments de bureau. Les 3/4 de ces trajets se font en voiture, avec, le plus souvent, une personne par voiture. Par ailleurs, les trajets domicile/travail représentent 30 % de l'usage des transports routiers. La majorité des actifs (3/5) travaillent hors de leur commune de résidence, à une distance moyenne de 15 km. Ces trajets génèrent des consommations de carburant et des émissions de polluants et de gaz à effet de serre importantes. Ils sont aussi coûteux en terme de temps passé et génèrent des risques d'accidents.

Un outil précieux

La calculette éco-déplacements de l'ADEME permet de mesurer le coût et l'impact en terme d'effet de serre et de consommation de carburant des déplacements domicile/travail, et d'effectuer des comparaisons entre modes de transport.

Être écocitoyen au bureau. Ademe, avril 2012
www.ecocitoyen.ademe.fr/tous-nos-guides-pratiques

1. Quel est le moyen de transport le plus utilisé par les Français pour aller travailler ?
2. Comment limiter les émissions de gaz à effet de serre lors des déplacements domicile/travail ?

Retrouvez la calculette éco-déplacements sur Internet : www.ademe.fr/eco-deplacements/calculette/

Nouvelles Perspectives

▶ **Résumé** : En salle de réunion, Séverine et Mehdi réfléchissent à de nouvelles opportunités commerciales.

▶ **Objectifs**
• Analyser le secteur économique d'une grande entreprise.
• Commenter des données chiffrées.
• Parler du mode de paiement, de la banque.

→ **Cahier d'activités**

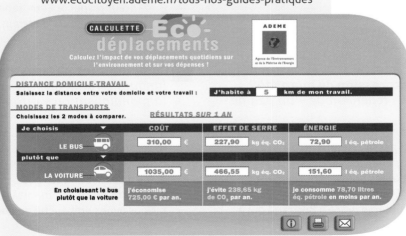

CALCULETTE Eco-déplacements				ADEME Agence de l'Environnement et de la Maîtrise de l'Énergie
Calculez l'impact de vos déplacements quotidiens sur l'environnement et sur vos dépenses !				

DISTANCE DOMICILE-TRAVAIL
Saisissez la distance entre votre domicile et votre travail : **J'habite à 5 km de mon travail.**

MODES DE TRANSPORTS
Choisissez les 2 modes à comparer.

Je choisis	COÛT	EFFET DE SERRE	ÉNERGIE
LE BUS	310,00 €	227,90 kg éq. CO_2	72,90 l éq. pétrole
plutôt que			
LA VOITURE	1035,00 €	466,55 kg éq. CO_2	151,60 l éq. pétrole
En choisissant le bus plutôt que la voiture	j'économise 725,00 € par an.	j'évite 238,65 kg de CO_2 par an.	je consomme 78,70 litres éq. pétrole en moins par an.

1 Associez le graphique avec son titre.

   a. Camembert : dépenses par catégorie.
   b. Histogramme : vente par pays (en millions d'€).
   c. Courbe : chiffre d'affaires France et monde (en millions d'€).

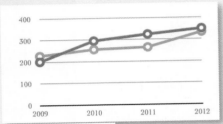

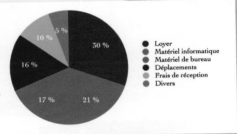

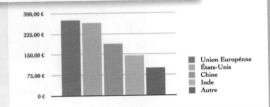

2 Complétez les phrases avec les mots proposés.
liquide – compte – virement – retirer – chèque – distributeur – relevé

   a. Je voudrais ... 80 euros.
   b. Je n'ai pas pu faire le ... sur votre compte par Internet.
   c. Dans cet établissement, vous ne pouvez pas payer par ... .
   d. Je souhaite ouvrir un ... à mon fils.
   e. Il a réglé la facture en ... .
   f. Je suis désolé, le ... est en panne.
   g. Ce mois-ci, je n'ai reçu aucun ... .

3 Complétez avec une expression de quantité.
beaucoup de – trop de – tellement de – un peu de – quelques – peu de

   a. Pierre va être malade. Il passe ... temps au travail.
   b. C'est incroyable ! Tu as ... chance !
   c. Les Martin ont ... argent et les Soulier ont ... argent.
   d. Pour occuper ce poste, il faut ... expérience.
   e. Nous avons résolu le problème grâce à Bertrand qui a proposé ... solutions.

4 Choisissez le terme qui convient.

   a. Avec votre café, vous voulez (beaucoup / beaucoup de / un peu) sucre.
   b. Ce matin, je suis (assez de / assez / combien) content.
   c. Nous avons eu (un peu / combien / combien de) réponses à notre proposition ?
   d. Mon assistant parle (tant / tant de / trop) souvent au téléphone.
   e. Cette semaine, nous avons (peu / peu de / tant) réunions.
   f. J'utilise (assez de / trop de / trop) feuilles de papier mais pas (trop de / peu de / assez de) cartouches d'encre.
   g. Je crois que nous sommes (assez / trop de / trop) fatigués pour corriger notre rapport.

5 Complétez les phrases avec les mots proposés.
hors taxe – délais – le solde – cette facture – des pénalités de retard – une remise

   a. Nous devons payer ..., sinon nous aurons ... !
   b. Quel est le prix ... de ce produit ?
   c. Pouvez-vous me faire ... ?
   d. Les ... de livraison sont très longs.
   e. Je paierai ... à la livraison.

6 Transformez les phrases comme dans l'exemple. Remplacez les mots en italique. Utilisez le pronom *en* et une expression de quantité, si nécessaire.
• *Je prends **deux autobus** pour aller travailler.*
→ *J'**en** prends **deux**.*

   a. Le matin, mon collègue prend *trois cafés*.
   b. Nous faisons beaucoup *de réunions* dans mon entreprise.
   c. Notre président a *trois frères*.
   d. Vous ne faites pas *de sport*.
   e. Nous avons *trois nouveaux stagiaires* au bureau.
   f. Pour cette présentation, je n'ai pas *de données chiffrées*.
   g. Ma sœur respecte l'environnement : elle n'a pas *de voiture*.
   h. Je prends toujours *du temps* pour répondre à mes mails.

7 Complétez les phrases avec les mots proposés.
langues étrangères – mécontentement – la crise – la mondialisation – différences culturelles – effectif

   a. On parle souvent de ... à la télévision et à la radio.
   b. Les Indignés manifestent leur ... en Espagne.
   c. Tous les pays sont touchés par ... .
   d. Il y a des ... entre les pays.
   e. Aujourd'hui, il est important de connaître des ... .
   f. Nous avons embauché de nouveaux collaborateurs : notre ... a augmenté.

8 **Transformez les phrases comme dans l'exemple.**
• *Le débat sur la mondialisation a lieu demain soir, on vous l'a dit ?*
→ *Oui, on m'a dit qu'il aura lieu demain soir.*

- -

a. Le directeur négocie avec une entreprise allemande, on vous l'a dit ?
b. Pour certains, la mondialisation est un fléau, on vous l'a dit ?
c. La réunion est annulée, vous le savez ?
d. Les effectifs de l'entreprise sont en augmentation, vous êtes au courant ?
e. Nous avons trouvé un accord avec notre partenaire, vous le saviez ?
f. Il y avait des opportunités intéressantes, on vous l'avait dit.

9 **Pour être éco-responsable, il y a des gestes importants au bureau. Pour chacune des trois photos, écrivez une phrase exclamative.**

- -

10 **Vous achetez un nouvel équipement pour votre bureau. Le vendeur vous affirme que ces produits respectent l'environnement. Complétez ses réponses.**
consommer peu d'énergie – émettre peu de CO$_2$ – se mettre en veille – avoir une touche « économie d'énergie »

- -

a. Le vendeur m'a affirmé que cette imprimante ...
b. Le vendeur m'a assuré que ce photocopieur ...
c. Le vendeur est certain que cet ordinateur ...
d. Le vendeur m'a affirmé que la machine à café ...

11 **Conjuguez les verbes au plus-que-parfait.**

- -

a. Hier, quand je suis arrivé au bureau, mon responsable *(arriver, déjà)*.
b. J' (*finir, déjà*) ma pause déjeuner quand tu m'as appelée.
c. L'année dernière, en août, nous *(réserver, déjà)* nos vacances de Noël.
d. Vous *(se mettre d'accord)* pour le cadeau de votre collègue ?
e. Tu *(choisir, déjà)* ton métier quand tu avais 16 ans ?

12 **Vous travaillez dans une banque. En arrivant, vous avez une mauvaise surprise... Conjuguez les verbes.**

- -

Quand je suis arrivé ce matin, j'ai vu qu'on (cambrioler) les bureaux. Pendant la nuit, les voleurs (tout prendre) : les ordinateurs, les appareils électroniques... Ils (laisser) tous les papiers par terre. Ils n'ont pas pu prendre l'argent liquide parce que nous (vider) le coffre-fort la veille.

1 Vous assistez à un congrès sur l'écologie et l'entreprise. Après le discours de bienvenue, on annonce le déroulement des activités et on vous donne des instructions sur les lieux où elles se déroulent. Écoutez et notez sur votre programme les informations dont vous allez avoir besoin.

Colloque National d'Écologie Scientifique

Palais des Congrès (Corum) de Montpellier
Jeudi 5 septembre 2013

8h30	Discours d'ouverture	....
9h30	......	Salle Antigone
10h45	......	Hall d'accueil
....	La gestion des déchets en entreprise	Salle .....
13h	......	
14h30	L'entreprise du futur	Salle ......
16h30	......	Salle Joffre
....	Buffet de clôture	...... - niveau 3

 2 Vous êtes intéressé par les salons qui se consacrent au bâtiment, à l'énergie et au développement durable. Vous trouvez dans un magazine spécialisé les deux annonces suivantes. Répondez aux questions.

a. Quand et où auront lieu ces salons ?
b. Quel est le public attendu ?
c. Comment peut-on se renseigner sur ces salons ?
d. Est-ce la première fois que le salon Écobat est organisé ? Justifiez.
e. Quelles sont les activités proposées à Écobat ?

ECOBAT, le rendez-vous d'affaires du Bâtiment durab

Ecobat l'évènement de référence du bâtiment durable s'ouvre pour sa dixième édition, à l'univers de la ville et des territoires durables.

10e édition – 20-22 mars 2013 – Paris Porte de Versailles

Préparez votre participation au salon et établissez votre programme en choisissant parmi les 200 ateliers techniques dispensés par les exposants du salon :

→ présentation de produits innovants
→ analyse de marchés
→ présentation de projets novateurs...

Contacts :
pour nous joindre au téléphone, un seul numéro : + 33 (1) 45 56 09 09

Salon BATIenergie
Du 28 au 29 mars 2013

Le rendez-vous de l'ensemble des professionnels du bâtiment basse consommation de l'énergie positive.

⊃ Lieu : Paris Expo, Porte de Versailles
⊃ Réservé aux professionnels du bâtiment
⊃ www.reseau-batienergie.fr

 3 Vous avez visité le salon Énergie et Habitat à Namur, en Belgique. Vous racontez par mail à un ami ce que vous avez vu, les personnes que vous avez rencontrées, les exposants qui vont ont parus intéressants. N'oubliez pas de préciser le nom du destinataire, l'objet du mail. Pensez à utiliser les formules de salutations adaptées.

 4 Racontez un projet qui vous tient à cœur : en quoi il consiste, quels sont les enjeux, les moyens dont vous disposez ou dont vous avez besoin...

 5 Vous discutez avec un(e) collègue des nouvelles technologies, de leur place dans le travail, de votre utilisation de tous ces nouveaux appareils qui occupent notre quotidien : portables, ordinateurs, tablettes... (Le professeur joue le rôle du collègue.)

Tâches

Réaliser un CV vidéo

Objectif : réaliser une vidéo (courte) afin de se « vendre » auprès des recruteurs.

1. Vous commencez par mettre à jour votre CV. Vous utilisez un outil de création de cartes mentales. Vous complétez votre carte mentale. Vous obtenez un CV complet et organisé. Voici un exemple.

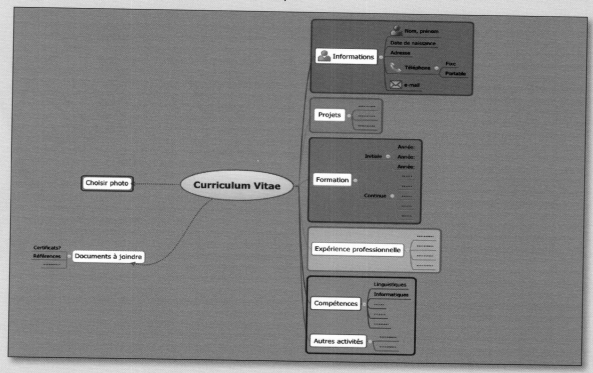

2. Vous regardez des CV vidéo sur le net. Vous cherchez des exemples. Par groupes, vous analysez les exemples : éléments mis en valeur, le CV donne ou ne donne pas envie de connaître la personne...

3. En petit groupe, ou en binôme, vous écrivez le scénario de votre vidéo. Vous pensez aux éléments suivants : les points importants du CV et leur ordre, le ton, le décor, la tenue.

4. Vous tournez la vidéo. Attention à la durée !

5. Vous montrez le film au reste de la classe et vous écoutez les remarques.

6. En cas de besoin, vous tournez une deuxième version.

7. Vous postez votre CV sur un site spécialisé.

Réaliser un micro-trottoir

Objectif : réaliser un micro-trottoir sur le sujet « Quelle tenue pour un entretien d'embauche ? »

1. Vous préparez vos questions et vous les rédigez (pas plus de deux ou trois questions).

2. Vous sélectionnez les personnes francophones à interroger : apprenants d'autres classes, professeurs, personnel administratif de votre lieu de travail ou de votre centre d'études, autres personnes (personnel d'une entreprise française ou d'institutions françaises à l'étranger...).

3. Vous interrogez ces personnes. Vous enregistrez les interventions.

4. Vous présentez vos résultats. Vous avez plusieurs possibilités :
– présentation orale devant la classe avec un PowerPoint ;
– document écrit : newsletter à envoyer par mail, publication sur le blog de la classe...
Vous définissez le contenu : un texte de présentation, un tableau avec des données, un graphique, des photos, etc.

Tâches

Unité 3

Chercher un appartement

Objectif : aider un collègue à trouver un appartement en France.

Un collègue doit partir en France pour quelques mois. Il doit résider à Strasbourg. Son lieu de travail se trouve dans le quartier de l'Orangerie. Vous l'aider à trouver un logement.

1. Vous notez la demande de votre collègue : localisation de l'appartement, surface, nombre de pièces, prix...

2. Vous cherchez des plans de la ville. Vous faites la liste des endroits pour trouver des annonces.

3. Vous faites la liste des papiers administratifs et des conditions. Vous expliquez les différents frais (frais d'agence, charges, assurance...)

4. Vous choisissez une annonce. Elle doit correspondre aux demandes de votre collègue.

5. Vous postulez par mail à l'annonce. Vous montrez votre intérêt pour l'appartement.

6. Vous présentez oralement les résultats de votre recherche. Vous montrez des documents : photos, mails... Vous décrivez l'appartement. Vous expliquez les avantages de l'appartement : quartier, situation, moyens de transport, magasins...

Unité 4

Faire une présentation orale

Objectif : présenter les installations de son entreprise/de son centre d'enseignement à un visiteur étranger.

Une importante personnalité francophone vient visiter vos installations. Vous êtes chargé de réaliser une présentation claire de votre lieu de travail (ou d'études). Vous devez aussi présenter l'organisation générale. Vous préparez un Power Point.

1. Vous faites un plan clair et simple des lieux : différents services, entrées, sorties de secours, ascenseurs, escaliers, toilettes...

2. Vous faites un organigramme clair. Vous pouvez vous aider d'un logiciel (outil de création de cartes mentales, par exemple).

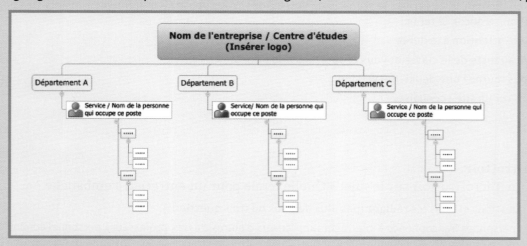

Vous pouvez ajouter à l'organigramme des photos, le logo de l'entreprise ou du centre de formation, des illustrations...

3. Vous rédigez des textes pour accompagner la présentation. Il y a deux types de textes : les textes écrits pour accompagner les diapositives et les textes à dire à l'oral pendant la présentation.

4. Vous mettez en forme le document final : une présentation Power Point.

5. Vous présentez votre travail à la classe.

Unité 5

Organiser une réunion

Objectif : organiser une réunion pour développer un projet de classe.

Votre classe va travailler sur un projet commun défini par votre professeur (réalisation d'un journal de classe, participation à un concours dans le cadre de la semaine de la Francophonie, concours de sites Internet...). Vous êtes chargé d'organiser une réunion de travail préalable à la réalisation de ce projet.

1. Vous déterminez le sujet de la réunion.

2. Vous nommez le(s) objectif(s) de cette réunion.

3. Vous identifiez les participants et vous programmez la réunion. Vous élaborez un rétroplanning pour ne rien oublier ! Vous donnez des tâches à chaque participant (ou à chaque sous-groupe de travail).

Exemple de rétroplanning

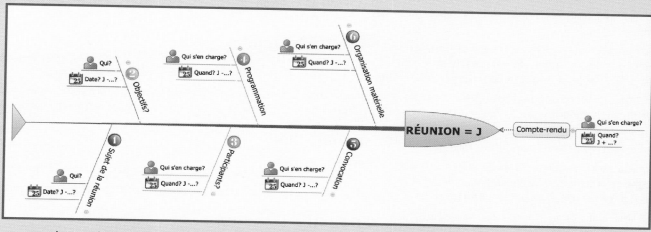

4. Vous convoquez les participants. Vous rédigez un mail : vous faites figurer les points importants (ordre du jour, objectif, jour, heure, durée, lieu, participants...).

5. Vous veillez à l'organisation matérielle (réserver une salle, matériel audiovisuel à utiliser...).

6. Après la réunion, vous rédigez un compte-rendu simple. Vous diffusez ce compte-rendu.

Unité 6

Organiser un pot

Objectif : organiser un pot avec vos collègues de classe et votre professeur pour une occasion de votre choix (fêtes de Noël, approche des vacances, anniversaire, promotion...).

1. Vous choisissez le motif de la réception.

2. Vous décidez la date, l'heure, le lieu. Vous faites une liste des invités.

3. Vous faites une liste des boissons et des choses à manger et vous définissez ce que chacun apporte. Vous n'oubliez pas les verres, les serviettes...

4. Un cadeau est-il prévu (pour un anniversaire, par exemple) ? Si oui, qu'allez-vous acheter ? Qui se chargera de l'achat ?

5. Vous préparez un petit discours. Vous rédigez le discours et vous choisissez la personne qui va le prononcer.

6. Pour les invitations, vous commencez par vous mettre d'accord sur le texte. Essayez de faire une invitation originale. Vous pouvez consulter sur Internet des sites spécialisés.

Tâches

Unité 7

Organiser un déplacement en France pour une formation

Objectif : assister à un séminaire de deux jours.

Vous allez assister à un séminaire à Paris. Vous devez vous occuper de toute l'organisation : déplacement, inscription... Chaque groupe peut prendre en charge une étape.

1. Vous préparez un document qui reprend tous les renseignements importants concernant le centre de formation : lieu où se déroule la formation (bâtiment, salle, etc.), accès, téléphone des contacts, restaurants à proximité...

2. Vous choisissez vos dates puis vous vous renseignez sur les moyens de transport, les horaires, la durée du trajet, le prix... Vous présentez le résultat de votre recherche au groupe et vous prenez ensemble une décision.

3. Vous préparez un document avec les hôtels et les restaurants qui se trouvent à proximité du centre de formation, avec un petit descriptif (prix, spécialités, etc.). Vous citez aussi des lieux d'intérêt qui se trouvent dans le quartier. Vous présentez votre sélection au groupe avec vos remarques.

4. Vous remplissez le formulaire d'inscription.

5. Vous mettez en commun le travail de chaque groupe sous forme de brochure ou de document numérique, à mettre sur une clé USB, qui sera donnée à tous les participants.

Séminaires et Formations

Qui sommes-nous ? | Informations pratiques | Nous contacter

Découverte de la banque

→ Les différents types de banques
→ Les grandes activités des banques
→ La gestion de l'entreprise banque
→ Les organisations internes
→ L'évolution des métiers de la banque

Durée : 2 jours

Dates : 18-19 mars 2013
15-16 octobre 2013
2-3 décembre 2013

Lieu : place d'Italie, 75013 Paris

PRIX : 1949 €

▶ Télécharger le calendrier   ▶ Recevoir le catalogue   ▶ S'inscrire

RENSEIGNEMENTS
seminaires-formation@forma.com
tél. 01 41 41 00 00
Mokhtar Debi

• **Séminaire**   Titre [ ]   Date [ ]
• **Société**   Nom [ ]
   Adresse [ ]
   [ ]
   Code postal [ ]   Ville [ ]   Pays [ ]
• **Participant**   Nom [ ]   Prénom [ ]
   e-mail [ ]   Téléphone [ ]

Unité 8

Préparer l'entretien annuel

Objectif : préparer un entretien annuel et écrire un « mode d'emploi ».

Vous réfléchissez, par groupes, à une stratégie pour la préparation de votre entretien. Vous proposez un scénario, vous donnez des pistes et des conseils. Vous partagez le travail final avec le reste de la classe.

1. Vous faites la liste des objectifs de l'année passée : Ont-ils été atteints ou non ? Puis vous préparez la liste des objectifs pour l'année prochaine.

2. Vous notez vos points faibles, les points à améliorer.

3. Vous faites une liste des questions que vous voulez poser à votre entretien : promotion, salaire... Vous faites également la liste des questions que votre responsable peut vous poser et vous préparez vos réponses. Exercez-vous : faites une simulation en utilisant ce que vous avez préparé aux questions précédentes.

Année : 20__	Non atteint	En partie	Atteint	Dépassé
Objectif 1 :				
Objectif 2 :				
...				

Année : 20__	Non atteint	En partie	Atteint	Dépassé
Objectif 1 :				
Objectif 2 :				
...				

4. Vous rédigez une liste de conseils pour se préparer avant l'entretien : les erreurs à ne pas commettre, l'attitude à adopter, la tenue à porter. Vous reprenez les points importants qui ont marqué l'année. Vous pouvez utiliser la technique du *storytelling** : vous racontez votre parcours sur l'année sous la forme d'une histoire. Vous utilisez des articulateurs chronologiques (*d'abord, puis, après, ensuite, enfin...*) pour décrire les moments marquants.

5. Vous élaborez un document final, en format numérique, qui servira à tous les participants. Vous reprenez tous les éléments de votre projet. N'oubliez pas de le tenir à jour, de l'actualiser, de le compléter, de le personnaliser...

* Pour en savoir plus sur le storytelling, vous pouvez consulter plusieurs sites Internet. Un exemple : http://www.storytellingfrance.com/

Unité 9

Présenter un produit pour le vendre.
Objectif : promouvoir un produit.

Avec des collègues francophones, vous êtes chargé de définir de nouveaux moyens pour diffuser un produit de votre entreprise. Vous avez choisi l'originalité pour attirer l'attention des clients internationaux.

1. Définissez ensemble le produit que vous souhaitez commercialiser.

2. Réfléchissez aux différents supports de diffusion. Vous avez le choix :
– une application pour mobiles ;
– une annonce sur les réseaux sociaux (Facebook, Twitter…) ;
– une publicité objet ;
– une publicité en 3D ;
– une annonce à projeter sur un immeuble avec un spectacle son et lumière…

3. Divisez-vous en petits groupes : chaque groupe travaille sur un support. Vous faites la liste tous les éléments : étapes de réalisation, compétences nécessaires, coûts, délais de réalisation, public cible…

4. Vous réalisez une simulation du produit final, puis vous faites une présentation pour les autres groupes.

5. Vous sélectionnez le produit qui réunit les conditions d'originalité et de viabilité.

Unité 10

Réaliser une enquête
Objectif : mettre en évidence les points à améliorer de votre entreprise en matière d'environnement.

Votre entreprise a décidé de passer au vert… Vous êtes chargé de déterminer ses points faibles d'un point de vue écologique. Vous réalisez une enquête auprès de vos collègues pour déterminer les points à améliorer.

1. Vous commencez par vous renseigner. Pour connaître les mesures politiques liées à l'environnement sur les lieux de travail, vous pouvez consulter : http://www.legrenelle-environnement.fr/IMG/CD_SNDD/IX-Communication/Guide-semaine-DD2007.pdf. Vous pouvez aussi consulter le petit livre vert de la Fondation Nicolas Hulot : http://www.fondation-nicolas-hulot.org/sites/default/files/pdf/outils/petit-livre-vert.pdf (pages 98-99).

2. Vous déterminez les questions à poser à vos collègues de bureau. Vous définissez le type de questions : ouvertes, fermées, à choix multiples… N'oubliez pas que vous devez, à la fin de votre travail, présenter des résultats et des statistiques.

3. Vous décidez de la forme de diffusion : papier (pas très écologique…), par mail, enquête à remplir sur le cloud…

4. Vous recueillez les réponses et vous les présentez sous forme de tableau, graphique…

5. Vous rédigez les commentaires des statistiques. Vous pensez à donner, dans vos conclusions, des pistes de travail pour améliorer l'attitude éco-responsable de votre entreprise.

6. Présentez le résultat final de votre travail, sous forme de Power Point, de dossier numérique, ou sous un autre format… non polluant !

Phonétique

Les phonèmes français et leur orthographe

Phonème		Graphie	Exemples
VOYELLES	/i/	i, î, y, ï	ville, nous vîmes, haïr
	/e/	e, é	aisé, éléphant, aller, chez
/E/ /ɛ/		e, è, ê, ai, aî	poulet, forêt, chèvre, tête, lait, connaître
	/a/	a, â, e	ami, nappe, pâte, différemment
	/ɔ/	o	porte, sonner, soleil
/O/ /o/		o, ô, au, eau	mot, hôtel, peau, aujourd'hui
	/u/	ou, où, aou, aoû	route, où, tout, août
	/y/	u, û	nous fûmes, lune, rue
/OE/ /ø/		eu, œu	il veut, heureux, nœud, œufs
	/œ/	eu, œu	seul, neuf, œuf
	/Ẽ/	in, im, un, um, ein, eim, en	matin, important, lundi, train, chien, brun, examen
	/ã/	an, am, en, em	dans, vent, charmant, champ, emporter
	/ɔ̃/	on, om	rond, combien, bon

Phonème	Graphie	Exemples
CONSONNES /j/	ye, ie, ai	yeux, lieu, panier, pied, ail
/w/	oi, ou, oê	oui, moi, poêle
/ɥ/	ui	huit, je suis, bruit
/p/	p, pp	père, appeler
/t/	t, tt	toi, patte
/k/	c, qu, k	car, quai, kilo
/b/	b, bb	bilan, bon, hobby
/d/	d, dd	donner, addition
/g/	g	gare, bague
/f/	f, ph	feuille, photo
/s/	s, c, ç, ss	sortir, cette, ça, français, passer
/ʃ/	ch, sch	acheter, schéma
/v/	v, w	travail, avoir, wagon
/z/	z, s	zéro, maison
/ʒ/	j, g	j'ai, geler, manger
/l/	l, ll	solide, tranquille, aller
/R/	r, rr	rue, barre
/m/	m, mm	maman, somme
/n/	n, nn	non, bonne
/ɲ/	gn	gagner
/ŋ/	ng	planning

La graphie et la prononciation

• Les accents

Il y a quatre accents : l'accent aigu (´), l'accent grave (`), l'accent circonflexe (^) et le tréma (¨). Ils se placent **au-dessus des voyelles** et servent soit à modifier leur prononciation, soit à distinguer des homophones, soit à rappeler une orthographe ancienne.

• L'ACCENT AIGU. – Il se place seulement sur la voyelle « e » et sert à indiquer sa prononciation /e/.

• L'ACCENT GRAVE. – Il peut se placer sur les voyelles « e », « a » et « u ». Quand il est sur le « e », il indique alors qu'on doit prononcer la voyelle /ɛ/. Lorsqu'il est placé sur le « a » ou sur le « u », il sert surtout à distinguer deux homophones.

• L'ACCENT CIRCONFLEXE. – Il se place sur les voyelles « a », « e », « i », « o » et « u ». Il peut indiquer que la prononciation doit être différente, plus grave que s'il n'y avait pas d'accent. L'accent circonflexe peut également permettre de faire la distinction entre deux homophones. L'accent circonflexe sur le « e » rappelle généralement la présence d'un « s » dans l'ancien français (fenêtre, hôtel).

• LE TRÉMA. – Il se place sur le « e », sur le « i » et sur le « u » et indique qu'il faut prononcer séparément deux graphèmes ; il sert aussi à indiquer qu'il faut prononcer une voyelle d'ordinaire muette (exemples : ambiguïté, Israël, aïeul).

• La cédille

Elle ne s'emploie qu'avec la lettre « c », devant les voyelles « a », « o » et « u ». Elle sert alors à indiquer que le « c » ne doit pas se prononcer /k/, mais /s/ (exemples : façon, façade, français).

• La lettre « h »

Elle ne correspond à aucun phonème et n'est pas prononcée, sauf si elle suit un « c » ; dans ce cas, « ch » se prononce /ʃ/.

Unité 1

→ **Le rythme français**

Le rythme du français est très particulier : il se caractérise par des groupes rythmiques plus ou moins longs, une égalité syllabique à l'intérieur de ces groupes rythmiques, et une dernière syllabe plus longue que les autres.

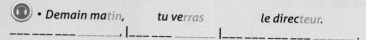

• *Demain ma*tin, *tu ve*rras *le direc*teur.

___ ___ ___ _____, |___ ___ ___ |___ ___ ___ ___ ___ .

Unité 2

→ **L'enchaînement syllabique**

Dans beaucoup de langues, la structure syllabique la plus facile à prononcer est la suivante : consonne + voyelle. En français aussi, lorsqu'un mot se termine par une consonne prononcée, et que le mot suivant commence par une voyelle, la consonne finale du premier mot devient initiale du mot qui suit.

 • *Le directeur et moi* / lø diRɛktœ Re mwa

Unité 3

→ **La liaison**

La liaison consiste à prononcer une consonne finale qui normalement n'est pas prononcée, quand le mot qui suit commence par une voyelle.

 • *Vous avez vu des annonces ?* – /vu za ve vy dɛ za nɔ̃ s/

Unité 4

→ **L'intonation**

Le français n'a pas d'accent lexical, contrairement à beaucoup d'autres langues. L'intonation donne souvent le sens d'une phrase.

 Écoutez et repérez la différence de sens.
• *Tu dois venir demain.*   • *Tu dois venir demain ?*

Unité 5

→ **Les lettres non prononcées**

En français, beaucoup de lettres écrites, voyelles ou consonnes, ne se prononcent pas. C'est le cas du « e » final et de nombreuses consonnes finales.

 • *C'est le règlement intérieur.*
• *Donnez-moi le cahier des charges.*
• *L'assistante m'a dit que Sophie est venue visiter les locaux.*

Unité 6

→ **Les sons /s/ – /z/**

Parfois un simple son change le sens d'une phrase...

• *Ils sont montés – Ils ont monté* /il sɔ̃ mɔ̃ te/ – /il zɔ̃ mɔ̃ te/
• *Je vais avoir mon horaire travail – Je vais savoir mon horaire de travail* /ʒø vɛ za vwaR/ – /ʒø vɛ sa vwaR/
• *Nous avons attendu deux heures. – Nous avons attendu deux sœurs.*
• *Nous avons bien travaillé. – Nous savons bien travailler.*

Unité 7

→ **Les sons /ɛ/ – /ø/**

Un simple phonème peut changer le sens d'une phrase.
/ɛ/ – lèvres étirées   /œ/ – lèvres arrondies

 • *Je veux aller à la réunion.* /ʒœ vø a le a la Reynjɔ̃/
• *Je vais aller à la réunion.* /ʒœ vɛ a le a la Reynjɔ̃/

Unité 8

→ **Les sons /p/ – /b/ – /v/ et /k/ – /g/**

/p/ et /b/ sont des consonnes dont l'articulation est bilabiale, c'est-à dire avec les deux lèvres. Pour prononcer le son /v/, on utilise les dents et les lèvres.

 Vous avez passé votre entretien ? Le bilan annuel est bon.

⚠ ▶ Exceptionnellement, la lettre « c » peut se prononcer /g/, comme dans le mot « second » et tous ses dérivés :
– *second* : [sœgɔ̃]
– *seconde* : [sœgɔ̃d]
– *secondaire* : [sœgɔ̃dER]

▶ Parfois, la lettre « c » ne se prononce pas :
– *blanc* : /blɑ̃/
– *franc* : /fRɑ̃/
– *le respect* /Rɛspɛ/
– *un aspect* /aspɛ/

Unité 9

→ **Les nasales : les nombres**

Pour prononcer les nombres, les nasales font toute la différence... On peut facilement confondre *cent* /sɑ̃/ et *cinq* /sɛ̃k/. D'autres chiffres et nombres contiennent des nasales. Pour prononcer les nasales correctement, il faut bien placer ses lèvres :
/ɛ̃/ – lèvres étirées
/ɑ̃/ – lèvres arrondies grandes
/ɔ̃/ – lèvres arrondies petites

 • *Nous avons fait cent cinq millions de chiffre d'affaires. / Nous avons fait cinq cent millions de chiffre d'affaires.*
• *La nouvelle corbeille coûte cent vingt cinq euros, quinze de plus que l'ancienne.*

Unité 10

→ **Les homophones**

Les homophones sont des mots qui se prononcent de manière identique, mais qui ont un sens et une orthographe différente.

• *Ses projets sont à l'étranger / C'est le projet dont je t'ai parlé.* /sɛ/
• *Mon directeur privilégie les visio-conférences. / Ils m'ont dit de ne pas imprimer trop de documents.* /mɔ̃/
• *Le prix des ampoules led va baisser ? / Nous avons pris l'habitude de faire des photocopies recto-verso.* /pRi/

Annexes

1. Les indicateurs de temps

De nombreux mots servent à exprimer des notions de temps.

■ Pour **la date**, **l'heure** ou **des périodes de l'année**, on utilise :
• le : *Nous sommes **le** 3 janvier.*
• en : *Il est arrivé dans l'entreprise **en** 2008, **en** septembre.*
• dans : ***Dans** les années 2000, Paul travaillait en Belgique.*
• à : *Elisa a quitté le bureau **à** 18 heures.*
• en / au : *L'entreprise est fermée **en** été / **au** printemps.*

■ Pour exprimer **une durée**, on utilise :
• pendant : *J'ai travaillé **pendant** une semaine sur ce dossier.*
• depuis : *Paola travaille dans la société **depuis** trois ans.*
• il y a : *François a pris sa retraite **il y a** un mois.*
• il y a ... que / ça fait ... que : ***Ça fait / Il y a** un mois **qu'**il a pris sa retraite.*
• pour : *Ce stagiaire vient **pour** six mois.*
• dans : *Nous lançons la nouvelle gamme de produits **dans** une semaine.*
• depuis ... jusqu'à : *Il est en vacances **depuis** le 2 janvier et **jusqu'au** 15 février.*
• de... à... : *Les bureaux sont fermés **de** midi **à** quatorze heures.*
• au bout de : *Nous prendrons une décision **au bout de** 3 mois.*

■ Pour exprimer **une habitude, une périodicité**, on utilise :
• tout / toute / tous / toutes : *Nous faisons le bilan **toutes** les semaines / **tous** les mercredis...*
• chaque : *Audrey vérifie le courrier **chaque** matin.*
• par : *Jean vient une fois **par** semaine / deux fois **par** jour...*
• sur : *Laure est en voyage une semaine **sur** deux / un jour **sur** deux...*
• les moments de la journée : *Nous travaillons **le matin / l'après-midi / le soir / la nuit**...*

2. Les adjectifs qualificatifs

Les adjectifs donnent des informations sur le nom qu'ils accompagnent. Généralement, ils se placent après le nom et s'accordent avec celui-ci en genre et en nombre.

■ **La formation du féminin**
Pour former le féminin de l'adjectif qualificatif, en général, on ajoute « e » au masculin.
• *Un joli bureau → Une jolie chaise*
• *Un candidat motivé → Une candidate motivée*
Dans certains cas, il faut aussi doubler la consonne finale.
• *bon → bonne ; gentil → gentille ; nul → nulle ; ancien → ancienne ; bas → basse*

Certains adjectifs se terminent en « e » au masculin et au féminin.
• *flexible, enthousiaste, modeste, économique, jeune...*

Il existe un certain nombre d'exceptions.
• *beau → belle ; complet → complète ; long → longue ; public → publique ; blanc → blanche ; nouveau → nouvelle ;*

vieux → vieille ; neuf → neuve ; dernier → dernière ; heureux → heureuse...

■ **La formation du pluriel**
Pour former le pluriel des adjectifs, en général on ajoute un **s** à l'adjectif au singulier (masculin ou féminin).
• *Mon collègue est grand. → Mes collègues sont grand**s**.*
• *Cette candidate est motivée. → Ces candidates sont motivée**s**.*

■ **La place de l'adjectif**
En général, l'adjectif se place après le nom.
• *Un collègue français, allemand, espagnol...*
• *Un candidat jeune, enthousiaste, motivé...*

Certains adjectifs se placent toujours avant le nom : *beau, joli, petit, grand, bon, mauvais, nouveau, vieux.*
• *C'est un **bon/mauvais** directeur.*
• *Je te présente notre **nouvelle** collègue.*
• *Il a un **grand** bureau.*

■ **Les adjectifs de couleur**
Les adjectifs de couleur s'accordent en général avec le nom qu'ils accompagnent (*une chemise bleue, des dossiers rouges...*). Il y a des exceptions : *marron, orange...*
• *Dans la salle de réunion, les chaises sont **marron** et **orange**.*

Lorsque l'adjectif de couleur est composé, il ne s'accorde pas :
• *Des chaises **bleu foncé, vert clair**...*

3. Les adverbes de fréquence

■ Pour indiquer la fréquence d'une action, on utilise des adverbes.

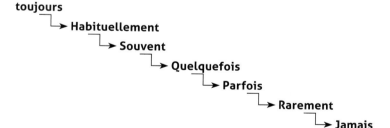

■ L'adverbe se place normalement après le verbe conjugué, quand celui-ci est conjugué à un temps simple. Lorsque le verbe est conjugué à un temps composé, l'adverbe se place entre l'auxiliaire et le participe passé.
• *Le directeur est **toujours** à l'heure. / Le directeur a **toujours** été à l'heure.*
À la forme négative, avec un temps composé, l'adverbe se place après l'auxiliaire et la négation.
• *Je n'ai pas **souvent** ouvert ces fichiers. Elle n'a pas **toujours** été directrice.*

On peut mettre l'adverbe au début de la phrase.
• ***Parfois**, j'arrive en retard.*

Annexes

4. L'interrogation

■ Il y a plusieurs manières de formuler une question.
– À l'aide d'une intonation montante. • *Tu vas venir ?*
– En utilisant *est-ce que.* • *Est-ce que tu vas venir ?*
– En inversant le sujet. • *Vas-tu venir ?*

Lorsqu'on inverse le sujet, pour les verbes du 1er groupe qui se terminent par une voyelle, on ajoute « -t- » à la 3e personne du singulier (il/elle/on).
• *Va-t-il assister à la conférence ?*

■ On peut aussi utiliser des pronoms ou des adjectifs interrogatifs : *pourquoi ? quand ? où ? qui ? que ? qu'est-ce que ? quel(s) ? quelle(s) ?...*
• où : *Où travaille-t-il ?*
• quand : *Quand commences-tu ton nouveau travail ?*
• comment : *Comment s'appelle le directeur ?*
• combien : *Combien de temps a-t-il travaillé chez InfoPro ?*
• qui : *Qui est là ?*
• pourquoi : *Pourquoi avez-vous envoyé une lettre de candidature ?*
• que : *Que savez-vous de notre entreprise ?*
• quel : *Quel est le nom de ton entreprise ?*

■ Il existe aussi des mots interrogatifs composés.
• jusqu'à quand : *Jusqu'à quand est-il en voyage ?*
• avec qui : *Avec qui travaille-t-il ?*
• d'où : *D'où vient-il ?*

⚠ *Que* devient *quoi* s'il est en fin de phrase ou après une préposition.
• *Avec quoi as-tu réussi à faire marcher cette machine ?*
• *Tu en penses quoi ?*

■ On peut aussi poser une question à la forme négative.
• *Vous ne connaissez pas notre nouveau directeur ?*
• *Anne n'est jamais là le jeudi ?*

5. Répondre à une question

■ On peut répondre à une question par *oui* ou *non.*
• *Vous voulez venir avec nous ?*   Oui. /Non.

■ *Moi aussi* s'utilise en réponse à une phrase affirmative.
Moi non plus s'utilise en réponse à une phrase négative.
• *J'ai terminé mon travail, et toi ?*   Moi aussi.
                                           Pas moi.
• *Je n'ai pas terminé mon travail, et toi ?*   Moi non plus.
                                                  Moi si.

6. Les prépositions devant les noms de lieux

■ Devant un nom de ville, on utilise *à.*
• *Tu travailles à Paris, à Madrid...*   • *Chloé va à Londres, à Bruxelles...*
• *Nous habitons à Berlin, à Mexico...*

■ Devant un nom de pays féminin, on utilise *en.*
• *Pierre travaille en France, en Italie, en Suisse...*
Devant un nom pays masculin, on utilise *au.*
• *J'habite au Japon, au Brésil...*
Devant un nom pays masculin pluriel, on utilise *aux.*
• *Je vais aux États-Unis, aux Pays-Bas...*

⚠ Les pays féminins se terminent en « e » (*la France, la Chine, l'Allemagne...*), mais le Mexique et le Mozambique sont masculins.

7. Aller à, être à, venir de + lieu

■ Les verbes *aller, être* et *venir* peuvent être suivis de différentes prépositions. Ils sont utilisés pour indiquer le lieu où l'on est, le lieu où l'on va, le lieu d'où l'on vient.
• le lieu où l'on est : *Je suis à la maison, au travail...*
• le lieu où l'on va : *Rose va à Paris, au travail...*
• le lieu d'où l'on vient : *Nous venons d'Espagne, du Brésil, de la banque...*

■ Lorsque ces verbes sont suivis d'un nom personne ou d'une profession, on utilise la préposition *chez.*
• *Je vais/suis/viens de chez moi, chez le docteur, chez Paul.*

8. La négation dans la phrase

■ La négation la plus courante est *ne... pas*
• *Je ne parle pas anglais.*

■ Il existe aussi d'autres négations possibles.
• *Je ne bois jamais de café.*   (ne... jamais)
• *Tu ne travailles plus.*   (ne... plus)
• *Max ne fait rien.*   (ne... rien)
• *Pauline ne connaît personne.*   (ne... personne)

■ Avec un verbe conjugué au passé composé, la négation encadre l'auxiliaire.
• *Félix n'a pas passé d'entretien.*

■ Quand la négation porte sur un verbe à l'infinitif, les deux termes de la négation sont collés et se placent devant le verbe à l'infinitif.
• *Il a préféré ne pas répondre à l'annonce.*

9. Le complément du nom

■ Le complément du nom est introduit par une préposition : *à, de, en...* Il permet de préciser le sens d'un nom et de donner des précisions sur :
– l'appartenance : *le bureau de la directrice, la maison de Sandra...*
– la matière : *un fauteuil en cuir, une feuille de papier...*
– la fonction : *une boîte à lettres*
– le lieu : *la salle de bains*

10. Les pronoms relatifs

Les pronoms relatifs simples *qui, que, où*

■ *Qui* remplace un sujet en évitant la répétition. Il est normalement suivi d'un verbe.
• *Cet homme **qui** parle avec Éric est notre comptable.*
• *Sophie est une personne **qui** est très compétente.*

■ *Que* reprend le complément d'objet (COD) en évitant la répétition. Il est normalement suivi par le sujet de la phrase.
• *Monsieur Dupont est un collègue **que** j'apprécie beaucoup.*
• *Le dossier **que** je viens de terminer était compliqué.*

■ *Dont* reprend un complément d'objet indirect (COI) ou un complément du nom.
• *Prenez les dossiers **dont** vous avez besoin.*

■ *Où* reprend un complément de lieu ou de temps.
• *Le quartier **où** ma société est installée est animé.* (lieu)
• *Je me souviens du jour **où** j'ai commencé à travailler.* (moment)

11. La comparaison

■ Pour comparer, on utilise *plus* (+), *aussi* (=) ou *moins* (–) devant un adjectif ou un adverbe et on ajoute *que* devant le terme sur lequel porte la comparaison.
• *Julie est **plus/moins/aussi** compétente **que** Myriam.*
• *Tu travailles **plus/moins/aussi** vite **que** moi.*

■ Avec un verbe ou un nom, on utilise « ***plus/plus de… que*** », « ***autant/autant de… que*** » ou « ***moins/moins de… que*** ».
• *J'ai **plus/moins/aussi de** diplômes **que** Sofia.*
• *Manon travaille **plus/moins/autant que** Charles.*

■ On peut aussi utiliser ***comme*** pour comparer.
• ***Comme** moi, mes collègues aiment leur travail.*
• *Son bureau est **comme** le mien.*

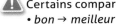 Certains comparatifs sont irréguliers.
• *bon → meilleur*
• *bien → mieux*
• *mal → pire*
• *mauvais → pire*

12. L'emploi du pronom « on »

■ *On* peut désigner une ou plusieurs personnes indéterminées.
• ***On** frappe à la porte.*

■ À l'oral, *on* désigne « nous ».
• ***On** fait la présentation ensemble.*

■ Dans les dictons, les proverbes et pour les vérités générales, *on* désigne tout le monde.
• ***On** doit respecter le règlement de l'entreprise.*

13. Les pronoms compléments

Les pronoms compléments permettent d'éviter la répétition des compléments d'objet direct (COD) ou indirect (COI).

■ Les COD peuvent être remplacés par *me, te, le, la, nous, vous, les*.
• *Tu regardes tes mails tous les matins ? → Oui, je **les** regarde tous les matins.*
• *Tu apprécies ta nouvelle collègue ? → Oui, je **l'**apprécie.*

■ Les COI désignent des personnes et peuvent être remplacés par *me, te, lui, nous, vous, leur*.
• *Tu téléphones souvent à tes collaborateurs ? → Oui, je **leur** téléphone souvent.*
• *Vous offrez souvent des fleurs à votre femme ? → Oui, je **lui** offre des fleurs chaque semaine.*

■ *Y* remplace un complément introduit par « à » (sauf nom de personne).
• *Est-ce qu'il va **au travail** le jeudi ? → Oui, il **y** va le jeudi.*
• *Vous habitez **à Marseille** ? → Oui, nous **y** habitons.*

14. Les articulateurs du discours

■ Les articulateurs du discours permettent d'établir une relation logique et/ou chronologique entre deux éléments (ou deux phrases).

La cause	*parce que, puisque, car, comme…*
La conséquence	*donc, c'est pourquoi, alors, ainsi…*
L'opposition, la concession	*pourtant, cependant, toutefois, même si…*
Renforcer son idée	*en effet, d'ailleurs…*
L'énumération	*d'abord, ensuite, et, après, puis, enfin…*

15. Les nombres

• **0** : *zéro* – **1** : *un* – **2** : *deux* – **3** : *trois* – **4** : *quatre* – **5** : *cinq* – **6** : *six* – **7** : *sept* – **8** : *huit* – **9** : *neuf* – **10** : *dix* – **11** : *onze* – **12** : *douze* – **13** : *treize* – **14** : *quatorze* – **15** : *quinze* – **16** : *seize* – **17** : *dix-sept* – **18** : *dix-huit* – **19** : *dix-neuf*…
• **20** : *vingt* – **21** : *vingt et un* – **22** : *vingt-deux* – **23** : *vingt-trois*…
• **30** : *trente* – **40** : *quarante* – **50** : *cinquante* – **60** : *soixante*…
• **70** : *soixante-dix* – **71** : *soixante et onze* – **72** : *soixante-douze*…
• **80** : *quatre-vingt* – **81** : *quatre-vingt-un* – **82** : *quatre-vingt-deux*…
• **90** : *quatre-vingt-dix* – **91** : *quatre-vingt-onze* – **92** : *quatre-vingt-douze*…
• **100** : *cent* – **1000** : *mille*…

■ **Les nombres composés** inférieurs à 100 prennent un trait d'union (*dix-sept, quarante-huit, quatre cent cinquante-trois*…) sauf ceux qui se terminent par 1. On ajoute la conjonction « et » : *soixante et un, soixante et onze, cinquante et un*…
Exception : *quatre-vingt-un, quatre-vingt-onze* s'écrivent avec un trait d'union.

■ **Vingt** et **cent** prennent la marque du pluriel sauf quand ils sont suivis d'un autre adjectif numéral.
• *quatre cents, quatre cent quatre, trois cent quatre-vingts, trois cent quatre-vingt-quatre...*

■ **Mille**, employé comme adjectif numéral ou comme nom, est invariable et s'écrit sans trait d'union.
• *cent cinquante mille euros...*

■ **Millier**, **million** et **milliard** sont des noms, et prennent donc la marque du pluriel.
• *six milliers, deux millions, trois milliards...*

■ Pour former **l'adjectif numéral et ordinal**, on ajoute le suffixe –*ième*.
• *trois → troisième ; quatre → quatrième ; cent → centième ; mille → millième...*
Exception : *un → premier/première*
L'adjectif numéral et ordinal s'accorde en genre et en nombre avec le nom qu'il accompagne.
• *les premiers candidats, les deuxièmes convocations.*

■ **Particularités**
En Belgique et en Suisse, 70 et 90 se disent *septante* et *nonante* (*septante-huit, nonante-cinq...*). Dans certaines régions on utilise aussi *huitante* pour 80.

16. Le pronom « en »

■ Le pronom *en* sert à remplacer des quantités indéterminées et déterminées introduites par des adverbes de quantité et par *un, une, des,* ou par *du, de la, de l'.*
• *Vous avez reçu des mails. → Non, je n'en ai pas reçu.* (= des mails)
• *Vous avec beaucoup de travail ? → Oui, j'en ai beaucoup.* (= de travail)

■ Le pronom *en* sert aussi à remplacer un complément de lieu.
• *Je pars du bureau à 18 heures. → J'en pars à 18 heures.* (= du bureau)

17. Les adverbes de quantité et d'intensité

■ Les **adverbes de quantité** évoquent une quantité indéterminée, évaluée globalement. Il s'agit d'adverbes simples (*assez, aussi, énormément, beaucoup de, autant...*) ou de locutions adverbiales

(*à demi, à peine, à moitié, peu à peu, à peu près, pas du tout, tout à fait...*).
• *Monsieur Rodriguez a **beaucoup de** travail.*
• *Il est **tout à fait** d'accord avec sa responsable.*

■ Les **adverbes d'intensité** évoquent le degré plus ou moins haut d'une qualité, d'un état, d'un sentiment (*très, trop, si, assez...*).
• *Emma est **très** efficace !*
• *Il est **trop** fatigué pour travailler !*

18. Les adjectifs indéfinis

■ Ils expriment souvent des quantités (*plusieurs, chaque, quelques, aucun, nul, certains, etc.*)
Ils s'accordent avec le nom qu'ils accompagnent.
• ***Certaines** étudiantes sont chinoises. / **Certains** étudiants...*
• *Je ne connais **aucun** des participants à la formation.*

 Quelques est toujours au pluriel.
• *Parmi mes collègues, j'ai **quelques** amis.*

Tout s'accorde avec le nom qu'il accompagne.
• ***Tout** le monde, **toute** la classe...*
• ***Tous** les salariés, **toutes** les salariées...*

Aucun n'est jamais au pluriel.
Il s'accorde seulement en genre.
• ***Aucun** ami, **aucune** amie.*

Aucun s'utilise avec ***ne***.
• *Pierre **ne** parle **aucune** langue étrangère.*

19. Le discours indirect

■ Il sert à rapporter des paroles ou des pensées.

Discours direct	Discours indirect
Qui a téléphoné ?	*Il demande **qui** a téléphoné.*
Anna dit : « Je déjeune à la cantine aujourd'hui. »	*Anna dit **qu'**elle déjeune à la cantine aujourd'hui.*
Paul se demande : « La réunion va-t-elle durer longtemps ? »	*Paul se demande **si** la réunion va durer longtemps.*
Il demande : « Quelle heure est-il ? »	*Il demande **quelle** heure il est.*

Les auxiliaires

	Présent	Imparfait	Passé composé	Futur	Conditionnel	Impératif
avoir	j'ai tu as il a nous avons vous avez ils ont	j'avais tu avais il avait nous avions vous aviez ils avaient	j'ai eu tu as eu il a eu nous avons eu vous avez eu ils ont eu	j'aurai tu auras il aura nous aurons vous aurez ils auront	j'aurais tu aurais il aurait nous aurions vous auriez ils auraient	aie ayons ayez
être	je suis tu es il est nous sommes vous êtes ils sont	j'étais tu étais il était nous étions vous étiez ils étaient	j'ai été tu as été il a été nous avons été vous avez été ils ont été	je serai tu seras il sera nous serons vous serez ils seront	je serais tu serais il serait nous serions vous seriez ils seraient	sois soyons soyez

Verbes réguliers

	Présent	Imparfait	Passé composé	Futur	Conditionnel	Impératif
(1er groupe)	je chante tu chantes il chante nous chantons vous chantez ils chantent	je chantais tu chantais il chantait nous chantions vous chantiez ils chantaient	j'ai chanté tu as chanté il a chanté nous avons chanté vous avez chanté ils ont chanté	je chanterai tu chanteras il chantera nous chanterons vous chanterez ils chanteront	je chanterais tu chanterais il chanterait nous chanterions vous chanteriez ils chanteraient	chante chantons chantez
(2e groupe)	je finis tu finis il finit nous finissons vous finissez ils finissent	je finissais tu finissais il finissait nous finissions vous finissiez ils finissaient	j'ai fini tu as fini il a fini nous avons fini vous avez fini ils ont fini	je finirai tu finiras il finira nous finirons vous finirez ils finiront	je finirais tu finirais il finirait nous finirions vous finiriez ils finiraient	finis finissons finissez

Verbes irréguliers terminés en *-ir*

	Présent	Imparfait	Passé composé	Futur	Conditionnel	Impératif
partir	je pars tu pars il part nous partons vous partez ils partent	je partais tu partais il partait nous partions vous partiez ils partaient	je suis parti(e) tu es parti(e) il/elle est parti(e) nous sommes parti(e)s vous êtes parti(e)s ils/elles sont parti(e)s	je partirai tu partiras il partira nous partirons vous partirez ils partiront	je partirais tu partirais il partirait nous partirions vous partiriez ils partiraient	pars partons partez
venir	je viens tu viens il vient nous venons vous venez ils viennent	je venais tu venais il venait nous venions vous veniez ils venaient	je suis venu(e) tu es venu(e) il/elle est venu(e) nous sommes venu(e)s vous êtes venu(e)s ils/elles sont venu(e)s	je viendrai tu viendras il viendra nous viendrons vous viendrez ils viendront	je viendrais tu viendrais il viendrait nous viendrions vous viendriez ils viendraient	viens venons venez